AGATHA CHRISTIE
(1890-1976)

Agatha Christie é a autora mais publicada de todos os tempos, superada apenas por Shakespeare e pela Bíblia. Em uma carreira que durou mais de cinquenta anos, escreveu 66 romances de mistério, 163 contos, 19 peças, uma série de poemas, 2 livros autobiográficos, além de 6 romances sob o pseudônimo de Mary Westmacott. Dois dos personagens que criou, o engenhoso detetive belga Hercule Poirot e a irrepreensível e implacável Miss Jane Marple, tornaram-se mundialmente famosos. Os livros da autora venderam mais de dois bilhões de exemplares em inglês, e sua obra foi traduzida para mais de cinquenta línguas. Grande parte da sua produção literária foi adaptada com sucesso para o teatro, o cinema e a tevê. *A ratoeira*, de sua autoria, é a peça que mais tempo ficou em cartaz, desde sua estreia, em Londres, em 1952. A autora colecionou diversos prêmios ainda em vida, e sua obra conquistou uma imensa legião de fãs. Ela é a única escritora de mistério a alcançar também fama internacional como dramaturga e foi a primeira pessoa a ser homenageada com o Grandmaster Award, em 1954, concedido pela prestigiosa associação Mystery Writers of America. Em 1971, recebeu o título de Dama da Ordem do Império Britânico.

Agatha Mary Clarissa Miller nasceu em 15 de setembro de 1890 em Torquay, Inglaterra. Seu pai, Frederick, era um americano extrovertido que trabalhava como corretor da bolsa, e sua mãe, Clara, era uma inglesa tímida. Agatha, a caçula de três irmãos, estudou basicamente em casa, com tutores. Também teve aulas de canto e piano, mas devido ao temperamento introvertido não segui~~
tica. O pai de Agatha morreu qua~~
o que a aproximou da m~~
A paixão por conhecer o~~
até o final da vida.

Em 1912, Agatha conheceu Archibald Christie, seu primeiro esposo, um aviador. Eles se casaram na véspera do Natal de 1914 e tiveram uma única filha, Rosalind, em 1919. A carreira literária de Agatha – uma fã dos livros de suspense do escritor inglês Graham Greene – começou depois que sua irmã a desafiou a escrever um romance. Passaram-se alguns anos até que o primeiro livro da escritora fosse publicado. *O misterioso caso de Styles* (1920), escrito próximo ao fim da Primeira Guerra Mundial, teve uma boa acolhida da crítica. Nesse romance aconteceu a primeira aparição de Hercule Poirot, o detetive que estava destinado a se tornar o personagem mais popular da ficção policial desde Sherlock Holmes. Protagonista de 33 romances e mais de 50 contos da autora, o detetive belga foi o único personagem a ter o obituário publicado pelo *The New York Times*.

Em 1926, dois acontecimentos marcaram a vida de Agatha Christie: a sua mãe morreu, e Archie a deixou por outra mulher. É dessa época também um dos fatos mais nebulosos da biografia da autora: logo depois da separação, ela ficou desaparecida durante onze dias. Entre as hipóteses figuram um surto de amnésia, um choque nervoso e até uma grande jogada publicitária. Também em 1926, a autora escreveu sua obra-prima, *O assassinato de Roger Ackroyd*. Este foi seu primeiro livro a ser adaptado para o teatro – sob o nome *Álibi* – e a fazer um estrondoso sucesso nos teatros ingleses. Em 1927, Miss Marple estreou como personagem no conto "O Clube das Terças-Feiras".

Em uma de suas viagens ao Oriente Médio, Agatha conheceu o arqueólogo Max Mallowan, com quem se casou em 1930. A escritora passou a acompanhar o marido em expedições arqueológicas e nessas viagens colheu material para seus livros, muitas vezes ambientados em cenários exóticos. Após uma carreira de sucesso, Agatha Christie morreu em 12 de janeiro de 1976.

Agatha Christie

Poirot e o mistério da arca espanhola

e outras histórias

Tradução de Pedro Gonzaga

www.lpm.com.br

Coleção **L&PM** POCKET, vol. 738

Texto de acordo com a nova ortografia.

Título original: *The Harlequin Tea Set and Other Stories*

Primeira edição na Coleção **L&PM** POCKET: fevereiro de 2009
Esta reimpressão: novembro de 2015

Tradução: Pedro Gonzaga
Capa: Néktar Design sobre foto de Raymond Depardon (Magnum Photos)
Preparação: Lia Cremonese
Revisão: Patrícia Yurgel

CIP-Brasil. Catalogação na Fonte
Sindicato Nacional dos Editores de Livros, RJ.

C479p

Christie, Agatha, 1890-1976
 Poirot e o mistério da arca espanhola e outras histórias / Agatha Christie; tradução de Pedro Gonzaga. – Porto Alegre, RS: L&PM, 2015.
 240p. – (Coleção L&PM POCKET; v.738)

 Título original: *The Harlequin Tea Set and Other Stories*
 ISBN 978-85-254-1840-1

 1. Poirot (Personagem fictício). 2. Ficção policial inglesa. I. Gonzaga, Pedro. II. Título. III. Série.

08-4395.   CDD: 823
                            CDU: 821.111-3

The Harlequin Tea Set and Other Stories © 1997 Agatha Christie Limited.
All rights reserved.
AGATHA CHRISTIE, POIROT and the Agatha Christie Signature are registered trade marks of Agatha Christie Limited in the UK and/or elsewhere.
All rights reserved.

Todos os direitos desta edição reservados a L&PM Editores
Rua Comendador Coruja 314, loja 9 – Floresta – 90.220-180
Porto Alegre – RS – Brasil / Fone: 51.3225.5777 – Fax: 51.3221.5380

Pedidos & Depto. Comercial: vendas@lpm.com.br
Fale conosco: info@lpm.com.br
www.lpm.com.br

Impresso no Brasil
Primavera de 2015

SUMÁRIO

O limite / 7
A atriz / 29
Enquanto a noite durar / 40
A casa dos sonhos / 52
O deus solitário / 73
O ouro de Manx / 91
Dentro de uma parede / 120
O mistério da arca espanhola / 143
O jogo de chá do arlequim / 195

O LIMITE

Clare Halliwell percorreu a curta passagem que separava seu chalé do portão da frente. Trazia uma cesta em um dos braços, e dentro da cesta havia um pote de sopa, um pouco de geleia caseira e algumas uvas. Não havia muitos pobres na pequena vila de Daymer's End, mas mesmo esses poucos eram devidamente assistidos, sendo Clare uma das mais eficientes voluntárias da paróquia.

Clare Halliwell tinha 32 anos. Apresentava um porte ereto, uma cor saudável e belos olhos castanhos. Não chegava a ser bonita, mas tinha um aspecto fresco e agradável, além de ser uma típica inglesa. Todos gostavam dela e a tinham em alta consideração. Desde que sua mãe morrera, dois anos antes, vivia sozinha no chalé na companhia de seu cachorro, Rover. Possuía ainda um galinheiro e era apaixonada tanto pelos animais quanto pelos benefícios trazidos à saúde pela vida ao ar livre.

Ao destravar o portão, um cupê passou devagar, e a motorista, uma garota de chapéu vermelho, acenou para ela. Clare respondeu, mas por um momento seus lábios se apertaram. Ela sentiu aquela pontada no coração que sempre lhe afligia ao ver Vivien Lee. A esposa de Gerald!

Medenham Grange, que fica a apenas um quilômetro e meio da vila, pertencia aos Lee havia várias gerações. sir Gerald Lee, o atual proprietário de Grange, aparentava mais idade do que realmente tinha e era considerado por muitos um sujeito de difícil trato. Sua pomposidade, de fato, encobria uma boa dose de timidez. Ele e Clare brincavam juntos quando eram crianças. Mais tarde estabeleceram um laço de amizade, um laço que muitos esperavam que se estreitasse e passasse a compromisso – incluindo-se entre esses muitos, pode-se dizer, a própria Clare. Não havia pressa, é claro, mas um dia a união poderia acontecer. Ela ficou com essa ideia na cabeça. Um dia...

Foi quando, há apenas um ano, a vila foi pega de surpresa com a notícia do casamento de sir Gerald com a srta. Harper – uma garota de quem ninguém ouvira falar!

A nova sra. Lee não era nada popular no vilarejo. Não dava importância aos assuntos da paróquia, entediava-se com caçadas e não demonstrava interesse pela vida no campo nem pelas atividades ao ar livre. As pessoas que julgavam entender das coisas olhavam para a situação e balançavam a cabeça, perguntando-se onde aquilo ia parar. Era fácil perceber de onde vinha a paixão de sir Gerald: Vivian era uma beldade. Dos pés à cabeça, contrastava em tudo com Clare: era pequena, com jeito de fada, delicada, os cabelos cacheados, de um loiro avermelhado, que lhe desciam de maneira encantadora sobre as lindas orelhas, além dos olhos violetas, que ela usava para lançar olhadelas de soslaio, provocantes e genuínas.

Gerald Lee, em sua simples lógica masculina, andava ansioso para fazer com que sua esposa e Clare se tornassem grandes amigas. Clare era seguidamente convidada para jantar em Grange, e Vivien tratava de aparentar uma calorosa intimidade sempre que se encontravam. Daí a saudação efusiva desta manhã.

Clare seguiu em frente, a caminho de sua missão. O vigário também estava visitando a mulher a quem Clare tinha ido ajudar. Depois, os dois caminharam algumas quadras juntos, até o ponto em que cada qual tomaria um rumo diferente. Ficaram ali parados por alguns minutos, discutindo os assuntos da paróquia.

— Temo que Jones esteja bebendo outra vez – disse o vigário. – E eu que estava tão esperançoso depois que ele havia, por vontade própria, feito o voto de abstinência.

— Que desagradável – disse Clare com rispidez.

— Pois é, assim também nos parece – disse o sr. Wilmot –, mas devemos lembrar que é muito difícil nos colocarmos no lugar dele, compreendermos as tentações a que ele está submetido. O desejo que ele sente pela bebida é algo que não podemos avaliar. De todo modo, nós também temos nossas próprias tentações, o que nos permite entender a situação.

— Acho que sim – disse Clare, num tom de dúvida.

O vigário lançou-lhe um olhar.

— Alguns de nós têm a sorte de ser muito pouco suscetíveis à tentação – ele disse afavelmente. – Mas a hora chega mesmo para essas pessoas. Lembre-se: observe e reze para não cair em tentação.

Então, despedindo-se dela, ele se afastou a passos largos. Clare ficou pensativa e, logo em seguida, quase se chocou com sir Gerald Lee.

— Olá, Clare. Esperava cruzar com você. Você parece estar em ótima forma. Veja só a sua cor.

Essa mesma cor não estava ali um minuto atrás.

— Como eu ia dizendo, esperava cruzar com você. Vivien precisa ir a Bournemouth no fim de semana. A mãe está doente. Será que poderia jantar conosco na terça em vez de hoje?

— Oh, claro! Terça está ótimo para mim.

— Que bom, então. Esplêndido. Bem, agora tenho que me apressar.

Clare voltou para casa e encontrou sua empregada parada junto à porta, esperando por ela.

— Esperava a sua chegada, senhorita. Há uma enorme confusão. Trouxeram Rover para casa. Ele fugiu esta manhã, e um carro passou por cima dele.

Clare correu até onde estava o cachorro. Adorava animais, e Rover era o seu predileto. Ela sentiu-lhe as pernas, primeiro uma, depois a outra, e percorreu o corpo dele com as mãos. O cão emitiu alguns grunhidos e depois lambeu-lhe a mão.

– Se há alguma lesão grave, deve ser interna – ela disse por fim. – Não parece haver nenhum osso quebrado.

– Devemos chamar o veterinário, senhorita?

Clare negou com a cabeça. Tinha pouquíssima confiança no veterinário local.

– Vamos esperar até amanhã. Ele não parece estar sentindo muita dor, e suas gengivas estão com uma coloração boa, o que indica que não pode haver hemorragia interna. Amanhã, se eu não gostar do aspecto dele, levo-o de carro até Skippington e peço para Reeves dar uma olhada nele. É de longe o melhor veterinário.

No dia seguinte, Rover parecia mais fraco, e Clare seguiu à risca o que havia planejado. A pequena cidade de Skippington ficava a cerca de sessenta quilômetros de distância, uma jornada longa, mas a fama de Reeves, o veterinário local, estendia-se por toda a região.

Ele diagnosticou algumas lesões internas, mas garantiu que havia boas chances de recuperação, e Clare partiu bastante satisfeita por deixar Rover sob seus cuidados.

Havia, em Skippington, apenas um hotel que pretendia oferecer certo conforto, o County Arms. Era frequentado principalmente por caixeiros-viajantes, pois não havia áreas de caça perto de Skippington, e, além disso, a cidade estava fora do trajeto dos motoristas que passavam pelas estradas principais.

O almoço não era servido antes da uma da tarde e, como faltavam alguns minutos para aquele horário, Clare se distraía olhando os registros no livro de hóspedes.

De súbito, deixou escapar uma exclamação. Poderia ela não reconhecer aquela letra, com suas curvas, voltas e seus floreios? Sempre tinha considerado aquela grafia inconfundível. Naquele instante, poderia jurar que a identificava – embora isso fosse claramente impossível. Vivian Lee estava em Bournemouth. O próprio registro depunha contra a possibilidade: *Sr. e sra. Cyril Brown, Londres.*

No entanto, apesar das evidências, seus olhos continuavam percorrendo a escrita sinuosa, e, em um impulso que ela não saberia definir, perguntou de forma abrupta para a mulher que estava no balcão:

– Sra. Cyril Brown? Estou aqui me perguntando se é a mesma Cyril Brown que eu conheço.

– É uma mulher pequena? Ruiva? Ela é muito bonita. Chegou aqui num cupê vermelho, madame. Um Peugeot, acho.

Na mosca! Um acontecimento deveras marcante para uma simples coincidência. Como se estivesse sonhando, ouviu a mulher continuar:

– Eles estiveram por aqui há cerca de um mês, para passar o fim de semana, e gostaram tanto que voltaram. Recém-casados, eu diria.

Clare se ouviu dizer:
– Obrigada. Não creio que se trate da minha amiga.

Sua voz soou diferente, como se pertencesse a outra pessoa. Logo ela se viu sentada no restaurante, comendo em silêncio um rosbife gelado; sua mente, um turbilhão de ideias e emoções conflitantes.

Já não lhe restavam quaisquer dúvidas. Desde o primeiro encontro, ela soubera perfeitamente quem era Vivien. Fazia bem aquele tipo. Perguntava-se agora, de modo vago, quem poderia ser o homem. Vivien o teria conhecido antes do casamento? A bem da verdade, aquilo pouco importava: nada além de Gerald importava.

O que ela – Clare – faria em relação a Gerald? Ele precisava saber, é claro que precisava. A obrigação de contar tudo a ele lhe parecia clara. Tinha descoberto o segredo de Vivien por acidente, mas não devia perder mais nem um minuto para pôr Gerald a par da situação. Ela era amiga de Gerald, não de Vivien.

De uma maneira ou de outra, porém, ela se sentia desconfortável. Sua consciência não sossegava. Encarando os fatos, ela percebia ter razão, mas, de um modo bastante suspeito, na posição em que estava, vinham se aliar a obrigação e a oportunidade. Teve que admitir para si mesma que jamais tinha gostado de Vivien. Além disso, se Gerald Lee fosse se divorciar da esposa – e Clare não tinha nenhuma dúvida de que era exatamente isso o que ele faria (era um homem com uma visão quase fanática a respeito da própria honra) –, então – bem, o caminho estaria aberto para Gerald procurá-la. Assim exposta a questão, ela se contraiu melindrada no encosto do assento. A ação a que se propunha lhe parecia vulgar e horrorosa.

O aspecto pessoal contaminara tudo. Ela já não sabia mais quais eram suas próprias motivações. Clare era, em essência, uma mulher conscienciosa, de espírito elevado. Engajou-se, então, num feroz debate interior para descobrir qual era a sua obrigação. Desejava, como sempre, fazer a coisa certa. Mas o que era o certo a fazer nesse caso? O que era o errado?

De forma acidental, ela havia se inteirado de fatos que afetavam de modo decisivo o homem que amava e a mulher que lhe desagradava e – sim, a bem da sinceridade – de quem morria de ciúmes. Ela podia arruinar aquela mulher. Teria justificativas para fazer isso?

De repente as palavras que o vigário dissera naquela manhã lhe vieram à mente: "*Mas a hora chega mesmo para essas pessoas*".

Seria esta a hora *dela*? Seria esta a *sua* tentação? Não teria ela vindo, de forma insidiosa, disfarçada de obrigação? Ela era Clare Halliwell, uma cristã, que tinha amor e caridade por todos os homens... e mulheres. Se tivesse que contar a Gerald, precisava ter certeza absoluta de que apenas motivos impessoais a guiavam. No momento, ela não devia dizer nada.

Pagou a conta do almoço e partiu, sentindo uma indescritível leveza de espírito. De fato, ela sentia uma felicidade como há muito não experimentava. Estava contente por ter tido a força necessária para resistir à tentação, por não ter cometido qualquer vileza ou ato injustificável. Por um breve instante, teve a impressão de que esse senso de poder é que havia alegrado seu ânimo, mas logo refutou a ideia por considerá-la fantástica.

Na terça-feira à noite, estava convencida de sua resolução. A revelação não poderia vir através dela. Deveria guardar silêncio. O amor secreto que nutria por Gerald a impedia de falar. Seria uma visão demasiado decorosa da situação? Talvez; mas era a única atitude que lhe era possível.

Chegou a Grange em seu próprio carrinho. O chofer de sir Gerald esperava junto à porta principal para manobrá-lo até a garagem assim que ela descesse, já que se tratava de uma noite chuvosa. Ele recém havia pegado o carro para estacionar quando ela lembrou de alguns livros que pedira emprestado e que tinha trazido para devolver. Tentou chamá-lo, mas ele não ouviu. O mordomo saiu correndo atrás do carro.

Desse modo, por uns dois minutos, Clare ficou sozinha no hall, próxima à porta da sala de visitas, que o mordomo abrira antes de anunciá-la. Aqueles que estavam lá dentro, no entanto, não sabiam da sua chegada, o que fazia com que a voz de Vivien, aguda – nem de longe a voz de uma dama – pudesse ser ouvida de maneira clara e distinta.

– Ah, esperamos apenas por Clare Halliwell. Vocês devem conhecê-la, vive no vilarejo, uma das supostas beldades locais, mas, na verdade, assustadoramente desprovida de quaisquer atrativos. Ela fez de tudo para fisgar o Gerald, mas ficou de mãos vazias.

– É isso mesmo, Gerald – seguiu ela em resposta aos protestos do marido. – Você pode até não estar consciente do fato, mas ela deu o melhor de si para ficar com você. Pobre Clare! Uma boa pessoa, mas parece que saiu da lata de lixo!

O rosto de Clare se tomou de uma lividez mortal, suas mãos, estendidas ao lado do corpo, apertaram-se com uma raiva que ela jamais sentira antes. Naquele momento, ela poderia ter matado Vivien Lee. Foi somente através de um extremo esforço físico que conseguiu recuperar o controle sobre si mesma. Isso e a certeza que começava a se formar em seu espírito de que poderia punir Vivien por essas palavras tão cruéis.

O mordomo retornou com os livros. Abriu a porta, anunciou-a, e logo ela já estava cumprimentando as pessoas que enchiam a sala com sua habitual cordialidade.

Vivien, magnífica em um vestido bordô que acentuava a frágil brancura de sua pele, mostrava-se particularmente afetuosa e efusiva. Não viam Clare com a frequência devida. Ela, Vivien, ia aprender golfe, e Clare devia acompanhá-la nos percursos do campo.

Gerald estava bastante atencioso e gentil. Embora não suspeitasse de que ela tivesse escutado em segredo as palavras de sua esposa, guardava uma vaga impressão de que algo precisava ser compensado. Ele era muito ligado a Clare, e gostaria que Vivien não tivesse dito as coisas que dissera. Ele e Clare haviam sido amigos, nada além disso – e se havia uma desconfortável suspeita pairando em sua mente de que se esquivasse da verdade contida na fala da esposa, tratou logo de varrê-la.

Depois da janta, a conversa girou em torno de cachorros, e Clare relatou o acidente com Rover. Esperou de propósito que houvesse uma pausa na conversa para acrescentar:

– ... então, no sábado, eu o levei até Skippington.

Ela escutou o súbito choque da xícara de café de Vivien Lee contra o pires, mas ainda não a tinha olhado.

– Para ver aquele tal de Reeves?

– Sim. Ele vai ficar bom, eu acho. Depois fui almoçar no County Arms. Um barzinho bem decente. – Ela se voltou para Vivien: – Você já esteve hospedada por lá?

Se ainda lhe restavam dúvidas, estas foram dissipadas. A resposta de Vivien veio rápida, num apressado balbuciar.

– E-eu? Oh, não!

Podia-se perceber o medo em seus olhos. Estavam esbugalhados e turvos quando encontraram os de Clare. No olhar da última não transparecia nada. Era um olhar calmo e escrutinador. Ninguém poderia imaginar o profundo prazer que aqueles olhos encobriam. Naquele momento, Clare quase perdoou Vivien pelas palavras que tinha ouvido por acaso no início daquela noite. Experimentava então uma sensação de poder tão plena que sentia a cabeça prestes a girar. Tinha Vivien na palma da mão.

No dia seguinte, recebeu um bilhete da outra mulher. Será que Clare poderia tomar um chazinho com ela naquela tarde? Clare recusou.

Então Vivien tentou encontrá-la. Por duas vezes apareceu num horário em que era muito provável que Clare estivesse em casa. Na primeira ocasião, Clare realmente não estava; na segunda, saiu pela porta dos fundos assim que avistou Vivien na calçada da frente.

– Ela ainda não tem certeza do que eu sei – disse para si mesma. – Quer descobrir sem que para isso precise se comprometer. Mas não descobrirá nada, não até que eu esteja pronta.

A verdade é que nem mesmo Clare sabia o que estava esperando. Havia decidido manter silêncio – era o único caminho reto e honrado. Sentia redobrar o brilho de sua virtude ao relembrar a extrema provocação da qual tinha sido vítima. Após ter escutado o que Vivien dissera a suas costas, o modo como a tratara, qualquer pessoa mais fraca, ela pensava, já teria abandonado as boas resoluções a que ela se dispunha.

No domingo, foi duas vezes à igreja. Primeiro para a comunhão do início da manhã, da qual saiu fortalecida e revigorada. Nenhum sentimento pessoal deveria ser relevante – nem maldade, nem piedade. Voltou mais tarde, ainda pela manhã, para o serviço do sr. Wilmot. Ele tratou da famosa parábola do fariseu. Apresentou a vida daquele homem, um bom homem, pilar da igreja. E retratou a lenta, corrosiva e nefasta ação do orgulho sobre o seu espírito, que tudo distorceu, fazendo ruir o que ele era.

Clare não ouviu com muita atenção. Vivien se encontrava no grande banco reservado à família Lee, e Clare sabia, de modo instintivo, que a outra tentaria se aproximar assim que o sermão terminasse.

E foi o que aconteceu. Vivien se grudou em Clare, acompanhou-a até em casa e perguntou se podia entrar. Clare, é claro, consentiu. Sentaram-se na pequena sala de visitas, enfeitada por flores e pelos antigos estofados. O que Vivien tinha a dizer se revelou incoerente e tolo.

– Estive em Bournemouth, você sabe, no fim de semana passado – ela começou.

– Gerald me disse – falou Clare.

As duas se olharam. Vivien parecia quase uma mulher comum naquele momento. Seu rosto tinha um aspecto rude, de raposa, que roubava muito de seu charme.

– Quando você esteve em Skippington... – seguiu Vivien.

– Quando estive em Skippington? – repetiu Clare com polidez.

– Você falou algo sobre um hotelzinho por lá.

– O County Arms. Sim. Você disse que não o conhecia, não é mesmo?

– Eu... eu já estive lá uma vez.

– Oh!

Bastava-lhe apenas aguardar parada o próximo movimento. O desconforto de Vivien revelava que ela não era capaz de aguentar qualquer tipo de pressão. Já estava prestes a entregar os pontos. De súbito, ela se inclinou para frente e começou a falar com veemência.

– Você não gosta de mim. Nunca gostou. Me odiou desde o primeiro minuto. Sei que você está se divertindo, fazendo esse jogo de gato e rato comigo. Você é cruel, muito cruel. É por isso que tenho medo de você, porque lá no fundo você é uma pessoa cruel.

– Francamente, Vivien! – disse Clare com rispidez.

– Você *sabe*, não é? Sim, dá para ver que você sabe. Sabia de tudo já naquela noite, quando falou sobre Skippington. De alguma maneira você descobriu. Bem, quero saber o que você pretende fazer a respeito. Diga, o que vai ser?

Por um minuto, Clare não respondeu, e Vivien se pôs de pé num movimento brusco.

– O que você vai fazer? Preciso saber. Você não vai negar que sabe de tudo, não é?

– Não estou disposta a negar nada – disse Clare com frieza.

– Você me viu naquele dia?

– Não. Vi sua letra no livro de registro do hotel. Estava lá "sr. e sra. Cyril Brown".

Vivien enrubesceu violentamente.

– Desde então – continuou Clare de maneira tranquila –, tenho feito umas investigações. Descobri que você não esteve em Bournemouth naquele fim de semana. Sua mãe nunca pediu que você fosse até lá. A mesma coisa havia ocorrido seis meses antes.

Vivien sentou-se outra vez, afundando no sofá. Começou a chorar violentamente, o choro de uma criança assustada.

– O que você vai fazer? – ela deixou escapar. – Vai contar para o Gerald?

– Não sei ainda – disse Clare.

Sentia-se calma, onipotente.

Vivien sentou-se mais ereta, removendo os cachos ruivos que lhe cobriam a testa.

– Você quer saber a verdade?

– Creio que seria o melhor, me parece.

Vivien despejou toda a história. Não houve qualquer recato da parte dela. Cyril "Brown" se chamava Cyril Haviland, um jovem engenheiro com quem ela tivera um relacionamento anterior. Ele teve um problema de saúde e perdeu o emprego. Depois disso, não teve nenhum pudor em dispensar a pobretona da Vivien e se casar com uma viúva rica, muitos anos mais velha do que ele. Logo em seguida, Vivien se casou com Gerald Lee.

Ela reencontrara Cyril por acaso. Aquele foi o primeiro de muitos encontros. Cyril, garantido pelo dinheiro da esposa, prosperava em sua carreira, tornando-se uma figura cada vez mais conhecida. Era uma história sórdida, uma história de encontros furtivos, de incessantes mentiras e intrigas.

– Eu o amo muito – repetia Vivien inúmeras vezes, com um súbito gemido, e, cada vez que ela pronunciava essas palavras, enchia Clare de uma repugnância física.

Por fim, o recital de balbucios chegou ao fim. Vivien deixou escapar, o rosto envergonhado:

– E então?

– O que eu vou fazer? – perguntou Clare. – Não sei dizer ainda. Preciso de tempo para pensar.

– Você vai me entregar para o Gerald?

– Talvez seja o meu dever fazer isso.

– Não, não. – A voz de Vivien se ergueu a ponto de se tornar um grito histérico. – Ele vai se divorciar de mim. Não escutará uma palavra do que eu disser. Descobrirá sobre o hotel, e Cyril vai ser envolvido nesse escândalo. E depois disso a esposa dele também pedirá o divórcio. Será o fim de tudo, da carreira dele, de sua saúde, ele voltará a ficar sem nenhum centavo. Ele jamais me perdoará... Jamais.

– Desculpe-me pelo que vou dizer – seguiu Clare –, mas não estou nem um pouco preocupada com o seu Cyril.

Vivien não prestou atenção ao que ela falou.

– Estou lhe dizendo que ele vai me odiar... Odiar, entende? Não poderei suportar isso. Não conte para o Gerald. Farei o que você quiser, mas não conte para o Gerald.

– Preciso de tempo para decidir – disse Clare com severidade. – Não posso prometer nada de antemão. Enquanto isso, você e Cyril não devem voltar a se encontrar.

– Certo. Prometo que não nos encontraremos.

– Assim que souber qual é a coisa certa a fazer – disse Clare –, farei com que você saiba.

Ela se levantou. Vivien deixou a casa de um modo furtivo e embaraçado, olhando para trás por sobre o ombro.

Clare retraiu o nariz em um sinal de repulsa. Um caso abominável. Vivien manteria sua promessa de não se encontrar com Cyril? Era provável que não. Ela era fraca, podre dos pés à cabeça.

Naquela tarde, Clare saiu para uma longa caminhada. Havia um caminho que seguia ao longo da paisagem elevada. À esquerda, as colinas verdes desciam gentilmente em direção ao mar muito mais abaixo, enquanto o caminho seguia seu traçado reto e em aclive.

Essa subida era conhecida como O Limite. Embora não oferecesse perigo desde que se seguisse o caminho, era perigoso vagar por ali fora da trilha. A suavidade das colinas era insidiosa, quando não ameaçadora. Clare perdera um cachorro ali certa vez. O animal saíra correndo pela grama macia, ganhando velocidade, e fora incapaz de parar, vencendo a extremidade do desfiladeiro e se espatifando nas pedras afiadas lá embaixo.

A tarde estava clara e magnífica. Da distância vinha o ruído do mar, um suave murmúrio. Clare se sentou sobre a relva verde e olhou para o azul do mar. Ela precisava encarar as coisas com clareza. Que atitude devia tomar?

Pensou em Vivien com certo nojo. Como a garota havia se apequenado, de que modo abjeto havia se rendido! Clare sentiu um contentamento progressivo. Ela não tinha nenhuma coragem – nenhuma fortaleza.

Apesar disso, por mais que antipatizasse com Vivien, Clare decidiu que iria, ao menos por enquanto, poupá-la. Ao chegar em casa, escreveu-lhe um bilhete, dizendo que, embora não pudesse prometer nada definitivo para o futuro, manteria o silêncio no presente.

A vida seguiu quase inalterada em Daymer's End. Circulava localmente a notícia de que lady Lee estava longe de parecer saudável. Clare Halliwell, em contrapartida, florescia. Seus olhos brilhavam como nunca, trazia a cabeça erguida, e havia toda uma nova confiança na sua maneira de agir. Ela e lady Lee se encontravam com frequência, ocasiões em que se podia notar que a mais jovem acompanhava com devotada atenção as mais simples palavras de Clare.

Algumas vezes, a srta. Halliwell fazia observações que pareciam um pouco ambíguas – não de todo relevantes para o assunto em questão. De súbito, ela começava a falar sobre como mudara sua maneira de ver as coisas nos últimos tempos – como era curioso que um detalhe qualquer pudesse alterar completamente o modo como alguém vê as coisas. As pessoas estavam dispostas a abrir mão de muita coisa por piedade, e isso estava bastante errado.

Ao dizer essas coisas, olhava com frequência para lady Lee de um modo peculiar, e a última não deixava de empalidecer, adquirindo um ar um tanto assustado.

À medida, porém, que o ano foi avançando, essas pequenas sutilezas foram se tornando menos aparentes. Clare continuou a fazer suas observações, mas lady Lee já não parecia ser tão afetada por elas. Começou a recuperar sua aparência e seu ânimo. Seu jeito efusivo de ser acabou por retornar.

*

Certa manhã, enquanto levava o cachorro para passear, Clare encontrou Gerald em uma alameda. O cachorro do último, um spaniel, confraternizou com Rover, enquanto seu dono conversava com Clare.

– Sabe da novidade lá de casa? – ele perguntou em tom alegre. – Espero que Vivien tenha lhe contado.

– Que novidade? Vivien não me contou nada em especial.

– Vamos para o exterior... Por um ano, talvez mais. Vivien já não aguenta mais esse lugar. Ela nunca gostou daqui, você sabe.

Ele suspirou; por um breve momento, pareceu abatido. Gerald Lee sentia muito orgulho de sua casa.

– Bem, seja o que for, prometi a ela uma mudança de ares. Consegui uma *villa* perto de Argel. Um lugar maravilhoso, sob todos os aspectos. – Deixou escapar um sorriso um pouco tímido. – Quase uma segunda lua de mel, não é mesmo?

Por alguns instantes, Clare não pôde responder. Alguma coisa parecia crescer em sua garganta a ponto de sufocá-la. Podia antever as paredes brancas da *villa*, as laranjeiras, sentir o suave perfume que a brisa traria do sul. Uma segunda lua de mel!

Eles iriam fugir. Vivien já não acreditava em suas ameaças. Ela iria escapar, livre, faceira, feliz da vida.

Clare ouviu sua própria voz dizendo as coisas apropriadas, o timbre um pouco roufenho. Que romântico! Ela os invejava!

Por misericórdia, naquele momento Rover e o spaniel começaram a se engalfinhar. Em meio à briga que se formou, prosseguir a conversa estava fora de cogitação.

Naquela tarde, Clare se sentou para escrever um bilhete para Vivien. Pedia que ela a encontrasse no Limite no dia seguinte, pois tinha algo de extrema importância para lhe dizer.

* * *

A manhã seguinte raiou límpida e luminosa. Clare percorreu o caminho íngreme até O Limite com o coração leve. Que dia perfeito! Estava feliz por ter tomado a decisão de dizer o que precisava ser posto para fora sob um céu azul e não na sua acanhada sala de visitas. Sentia por Vivien, sentia de verdade, mas a situação precisava ser resolvida.

Avistou um ponto amarelo, como uma espécie de grande flor à margem do caminho. Ao se aproximar, viu que se tratava de Vivien, vestida com um traje amarelo tricotado, sentada sobre a relva, as mãos abraçadas ao redor dos joelhos.

– Bom dia – disse Clare. – Não é uma linda manhã?

– É mesmo? – disse Vivien. – Nem reparei. O que você tinha para me dizer?

Clare se deixou cair ao lado dela na grama.

– Preciso recuperar o fôlego – ela disse, desculpando-se. – É uma puxada até aqui em cima.

– Dane-se! – gritou Vivien. – Por que você não fala logo, sua maldita, sua fingida, em vez de ficar me torturando?

Clare não conseguiu esconder seu espanto, e Vivien rapidamente se abrandou.

– Desculpe, não quis dizer isso, Clare. Sinto muito mesmo. É que... meus nervos estão à flor da pele, e você aí sentada falando sobre o tempo... bem, isso me fez perder a paciência.

– Se você não se cuidar acaba tendo uma crise nervosa – disse Clare com frieza.

Vivien deu uma risadinha.

– Passar dos limites? Não, não sou desse tipo. Jamais serei uma dessas loucas. Vamos, agora me diga, o que você quer me falar?

Clare ficou quieta por um momento, então começou a falar, olhando não para Vivien, mas de modo fixo para o mar.

– Pensei que seria justo lhe dizer que não consigo mais manter silêncio sobre o que aconteceu no ano passado.

– Você está querendo dizer que... vai contar aquela história toda para o Gerald?

– A não ser que você mesma conte para ele. Essa seria, sem dúvida, a melhor solução.

Vivien sorriu de modo agressivo.

– Você sabe muito bem que eu não tenho coragem suficiente para fazer isso.

Clare não contradisse a afirmação. Já tivera provas da covardia de Vivien.

– Seria, sem dúvida, a melhor maneira – ela insistiu.

Vivien voltou a sorrir, a mesma risada feia e curta.

– É sua preciosa consciência que a leva a agir assim, suponho? – ela escarneceu.

– Sei que pode parecer estranho para você – disse Clare com tranquilidade. – Mas é isso mesmo.

O rosto de Vivien, agora pálido e inflexível, voltou-se para ela.

– Meu Deus! – ela disse. – Percebo que você acredita mesmo nisso, que pensa que é essa a razão.

– *É* essa a razão.

– Não, não é. Se fosse, você já teria feito isso antes, muito tempo atrás. Por que você não fez? Não, não responda. Eu vou lhe dizer. Você sente mais prazer sabendo que tem esse trunfo contra mim, essa é a razão. Gosta de me manter presa no seu anzol, gosta de ver eu me sobressaltar e me contorcer. Você diz as coisas, essas coisas diabólicas, só para me atormentar, para me manter constantemente aflita. E essa sua tática funcionou... até que eu me acostumasse com ela.

– Você começou a se sentir segura – disse Clare.

– Você reparou, não foi? Mas ainda assim, você manteve sua posição, continuou desfrutando da sensação de poder. Mas agora estamos indo embora, escapando de você, talvez até sejamos felizes, e isso está acabando com você. Então a sua consciência resolveu acordar! Que conveniente!

Ela parou, ofegante. Clare disse, ainda de modo tranquilo:

– Não posso impedir que você diga todos esses absurdos, mas posso lhe assegurar que nada disso é verdade.

* * *

Vivien se voltou de repente e tomou a mão dela.

– Clare, pelo amor de Deus! Tenho me comportado bem, fiz exatamente o que você pediu. Nunca mais vi o Cyril, eu juro.

– Isso não vem ao caso.

– Clare, será que você não tem nenhuma compaixão? Posso me ajoelhar na sua frente se você quiser.

– Conte tudo para o Gerald. Se você lhe disser a verdade, é capaz de ele a perdoar.

Vivien riu com escárnio.

– Você conhece o Gerald melhor do que ninguém. Ele vai ficar com raiva, vai querer se vingar. Vai me fazer sofrer, fará Cyril sofrer. E isso eu não poderia suportar. Ele está trabalhando agora em uma invenção, algum tipo de máquina, não entendo bem o que é, a esposa sustenta suas pesquisas, claro. Mas ela é desconfiada e ciumenta. Se descobre alguma coisa, e ela descobrirá se Gerald pedir o divórcio, irá para cima do Cyril, arruinará todo o trabalho dele e tudo mais.

– Não estou preocupada com Cyril – disse Clare. – Penso é no Gerald. Por que você não pensa nele um pouquinho só que seja?

– Gerald? Não estou nem aí para ele – e estalou os dedos num sinal de que o marido pouco lhe importava. – Nunca gostei dele. Já que é para dizer a verdade, então vamos a ela. Só penso no Cyril. Eu não presto, blá-blá-blá, e admito isso. A verdade é que ele também não presta. Mas o que eu sinto por ele, bem, *isso* é legítimo. Eu seria capaz de morrer por ele, está me ouvindo? Eu morreria por ele!

– Isso é fácil de dizer – disse Clare de forma zombeteira.

– Acha que não estou falando sério? Escute, se você seguir com esse seu plano hediondo, eu me mato. Antes de ver Cyril arruinado, acabo com a minha vida.

Clare não se deixou impressionar.

– Não acredita em mim? – perguntou Vivien ofegante.

– É preciso muita coragem para se suicidar.

Vivien se reclinou para trás como se tivesse sido golpeada.

– Você tem razão. Eu não tenho coragem. Se tivesse uma maneira mais fácil...

– Há uma maneira fácil ao seu alcance – disse Clare. – Basta que você desça pela colina verde. Tudo estará terminado em poucos minutos. Lembre-se daquela criança no ano passado.

– Sim – disse Vivien, pensativa. – Seria fácil, bem fácil, para alguém que realmente quisesse fazer isso.

Clare deu uma risada.

Vivien se voltou para ela.

– Vamos repassar a coisa toda. Será que você não percebe que depois de ter ficado todo esse tempo em silêncio já não pode mais querer voltar atrás? Não verei mais o Cyril. Serei uma boa esposa para o Gerald, prometo a você. Caso contrário, pego minhas coisas e desapareço. O que você preferir. Clare...

Clare se levantou.

– Estou lhe avisando – ela disse –, conte tudo para o seu marido... Ou então serei obrigada a fazer isso eu mesma.

– Entendo – disse Vivien em voz baixa. – Bem, não posso deixar que Cyril sofra...

Ela se levantou, ficou parada por alguns instantes, como se considerasse alguma coisa, então desceu correndo pelo caminho, mas em vez de parar, cruzou-o e seguiu na direção da colina. A certa altura ela voltou a cabeça para o lado e acenou faceira para Clare, então seguiu correndo com alegria, leve, como correria uma criança, até desaparecer...

Clare ficou petrificada. De repente ela ouviu gritos, exclamações, um clamor de vozes. Depois... silêncio.

Ela tomou o caminho sem pestanejar. Cerca de cem metros abaixo, um grupo de pessoas havia se formado. Olhavam e apontavam para um ponto específico. Clare correu até ali e se juntou a eles.

– Sim, senhorita, alguém caiu no desfiladeiro. Dois homens já desceram para olhar.

Ela esperou. Terá sido uma hora, uma eternidade, ou apenas alguns minutos?

Um homem voltou, vencendo a dificultosa subida. Era o vigário em mangas de camisa. Havia deixado o casaco lá embaixo para cobrir o que jazia junto às pedras.

– É horrível – ele disse, o rosto lívido. – Por sorte, a morte deve ter sido instantânea.

Ele viu Clare e se aproximou dela.

– Isso deve ter sido um tremendo choque para você. Vocês duas estavam caminhando juntas, não é verdade?

Clare se ouviu responder mecanicamente.

Sim. Elas apenas haviam se separado. Não, o comportamento de lady Lee aparentava bastante normalidade. Uma das pessoas do grupo interpôs a informação de que a senhora estava rindo e acenando para Clare. Um lugar perigosíssimo. Deveria haver uma murada ao longo do caminho.

A voz do vigário se ergueu outra vez.

– Um acidente... Sim, sem dúvida, um acidente.

E então de súbito Clare começou a rir, uma risada áspera e gutural que ecoou por todo o desfiladeiro.

– *Isso é uma mentira deslavada* – ela disse. – *Fui eu que a matei.*

Sentiu que alguém lhe dava uns tapinhas no ombro, e então uma voz que soava macia.

– Está bem, está tudo bem. Você ficará bem agora.

Clare, no entanto, não estava bem naquele momento. Jamais voltou a ficar bem. Ela insistia no delírio – certamente um delírio, já que pelo menos oito pessoas haviam testemunhado a cena – de que tinha matado Vivien Lee.

Estava em uma condição lastimável até que a enfermeira Lauriston assumisse o seu caso. A enfermeira Lauriston obtinha grandes êxitos com casos de doença mental.

– É preciso fazer a vontade dessas pobres criaturas.

De modo que ela disse a Clare que era carcereira da prisão de Pentonville. A sentença de Clare, ela disse, havia sido comutada por trabalhos forçados em regime perpétuo. O quarto dela foi decorado como uma cela.

– E a partir de agora, creio eu, teremos só alegrias e tranquilidade – disse a enfermeira Lauriston ao médico. – Pode retirar as facas de ponta se o senhor quiser, doutor, mas não creio que haja qualquer possibilidade de ela tentar o suicídio. Não seria do seu feitio. Ela é muito autocentrada. Engraçado como são justamente essas pessoas as que com mais facilidade ultrapassam o limite.

A ATRIZ

O maltrapilho na quarta fila da plateia se inclinou para a frente e fixou os olhos com incredulidade no palco. Seus olhos ladinos se estreitaram de modo furtivo.

– Nancy Taylor! – ele murmurou. – Por Deus se não é a pequena Nancy Taylor!

Baixou o olhar sobre o programa que tinha nas mãos. Um nome estava impresso em um tipo um pouco maior do que os outros.

– Olga Stormer! Então esse é o nome que ela usa. Bancando a estrela, não é, minha querida? E deve estar forrando os bolsos, não é? Diria que praticamente se esqueceu que se chamava Nancy Taylor. Fico só imaginando o que você diria se Jake Levitt aparecesse para lembrá-la desse fato.

A cortina se fechou ao fim do primeiro ato. Aplausos calorosos encheram o auditório. Olga Stormer, a grande atriz dramática, cujo nome em poucos anos havia se tornado sinônimo de sucesso, acrescentava mais um triunfo à sua lista de êxitos interpretando Cora, em *O anjo vingador*.

Jake Levitt não se uniu ao mar de aplausos, mas, aos poucos, brotou-lhe nos lábios um sorriso de apreciação. Deus! Que sorte! Logo agora que ele tinha chegado ao fundo do poço. Ela tentaria despistá-lo, ele acreditava, mas não conseguiria escapar assim *dele*. Se fosse bem trabalhada, ali estava sua mina de ouro!

Na manhã seguinte, o primeiro trabalho de mineração de Jake Levitt se revelou. Em sua sala de estar, com suas lacas vermelhas e tapetes negros, Olga Stormer lia e relia uma carta. Seu rosto pálido, com seus traços admiravelmente maleáveis, estava um pouco mais fixo que o de costume, e vez ou outra seus olhos de um verde acinzentado, abaixo das sobrancelhas retas, fixavam-se em um ponto à meia distância, como se contemplassem a ameaça que se escondia por trás das palavras que compunham a carta.

Usando sua voz maravilhosa, que podia se deixar embargar pela emoção ou ser clara como o toque de uma máquina de escrever, Olga chamou:

— Srta. Jones!

Uma jovem de óculos, asseada, com um bloquinho de notas em uma das mãos e um lápis na outra, entrou na sala a passos acelerados, vinda da peça adjacente.

— Telefone para o sr. Danahan e diga para ele vir imediatamente.

Syd Danahan, o empresário de Olga Stormer, entrou na sala com a natural apreensão do homem cuja vida consiste em lidar e satisfazer os caprichos de uma diva. Persuadir com paciência, amaciar, intimidar, uma coisa de cada vez ou todas ao mesmo tempo, eis sua rotina diária. Para seu alívio, Olga parecia calma e centrada, e se limitou a lhe estender um bilhete por sobre a mesa.

— Leia isso.

A carta estava rabiscada com uma letra de mão não acostumada a escrever, sobre um papel barato.

Cara madame,
Apreciei muito a sua atuação em O anjo vingador na noite passada. Acho que temos uma amiga em comum chamada srta. Nancy Taylor, da época de Chicago. Um artigo sobre ela está para ser publicado em breve.

Se quiser discutir esse assunto, posso comparecer à sua presença quando lhe for mais conveniente.

Atenciosamente,
Jake Levitt

Danahan parecia um pouco confuso

— Não entendi muito bem do que se trata. Quem é essa Nancy Taylor?

— Uma garota que era melhor que estivesse morta, Danny. — Havia amargura em sua voz e um cansaço que revelava seus 34 anos. — Uma garota que esteve morta até que esse urubu a trouxesse de volta à vida.

— Mas então...

— A garota sou eu, Danny.

— Isso significa chantagem, não é?

Ela concordou com a cabeça.

— Certamente, e vinda de um homem que conhece bem essa arte.

Danahan franziu o cenho, refletindo sobre a questão. Olga, o rosto apoiado sobre a mão longa e esguia, observava-o com olhos inescrutáveis.

— E se tudo não passar de um blefe? Negue tudo. Ele não pode ter certeza de não ter sido levado por uma mera semelhança.

Olga maneou a cabeça.

— Levitt vive de chantagear mulheres. Ele não viria para cima de mim se não tivesse certeza.

— E se fôssemos à polícia? — arriscou Danahan, em um tom de dúvida.

O sorriso sutil e sarcástico que ela deixou escapar serviu de resposta. Por trás de seu aparente controle, embora ele não pudesse suspeitar, estava a exasperação de um cérebro mais aguçado que assistia a um cérebro mais lento percorrer com dificuldade o caminho que já havia sido percorrido em um instante.

– Você não acha que... bem... que talvez fosse melhor, quer dizer, quem sabe, contar alguma coisa para sir Richard? Isso poderia ao menos diminuir a força do que ele tem contra você.

O noivado da atriz com sir Richard Everard, membro do parlamento, havia sido anunciado algumas semanas atrás.

– Já contei tudo ao Richard quando ele me pediu em casamento.

– Por Deus que essa foi uma atitude inteligente da sua parte! – disse Danahan admirado.

Olga sorriu de leve.

– Não se trata de inteligência, meu bom Danny. Você não entenderia. De qualquer maneira, se esse tal Levitt cumprir com suas ameaças, será o fim da minha carreira, sem falar na própria carreira política de Richard, que também estaria arruinada. Não; até onde posso ver, só há duas coisas a serem feitas.

– O quê?

– Pagar... E isso seria um compromisso eterno! Ou desaparecer, começar tudo de novo.

O cansaço era outra vez bastante aparente em sua voz.

– E não é nem como se eu tivesse algo do que me arrepender. Eu não passava de uma jovem abandonada, quase não tinha o que comer, Danny, lutando para manter a coluna ereta. Dei um tiro em um homem, um homem vil, que merecia aquele tiro. Foram tais as circunstâncias que me fizeram matá-lo que nenhum júri na terra seria capaz de me condenar. Sei disso agora, mas naquele momento, não sendo mais que uma criança, eu fugi.

Danahan concordou.

– Creio – ele disse em tom de dúvida – que não há nada que possamos usar contra esse Levitt, estou certo?

Olga assentiu.

— Dificilmente. Ele é covarde demais para cometer algum tipo de crime. – O som de suas próprias palavras parecia abatê-la. – Um covarde! Me pergunto se a gente não poderia encontrar aí uma escapatória.

— E se sir Richard fosse encontrá-lo e lhe desse um bom susto? – sugeriu Danahan.

— Richard não está talhado para a coisa. Não se pode tratar com um tipo desses quando se é um cavalheiro.

— Bem, então deixe que eu vá.

— Desculpe, Danny, mas não acho que você tenha sutileza suficiente. É preciso achar um meio termo entre um golpe de luva de pelica e um soco. Digamos que uma luva simples! Ou seja, a luva de uma mulher! Sim, creio que uma mulher seja o mais indicado. Uma mulher com certa finesse, mas que conheça o lado duro da vida, por experiência própria. Olga Stormer, por exemplo! Não diga nada! Já estou visualizando um plano.

Ela se inclinou para frente, afundando o rosto nas mãos. De súbito, se recompôs.

— Como é mesmo o nome daquela garota que quer ser minha substituta? Margaret Ryan, não é? Uma que tem o cabelo igual ao meu.

— O cabelo dela está bem – admitiu Danahan de má vontade, os olhos fixos na cabeleira de um dourado cor de bronze que cobria a cabeça de Olga. – É bem parecido com o seu, como você disse. Mas é sua única virtude. Pretendo dispensá-la na próxima semana.

— Se tudo der certo, é provável que você tenha que deixá-la substituir Cora. – Ela sufocou-lhe os protestos com um aceno de mão. – Danny, responda-me com toda sinceridade. Você acha que eu sei atuar? Atuar de *verdade*, quero dizer. Ou não passo de uma mulher atraente, andando pra lá e pra cá em belos vestidos?

— Atuar? Por Deus, Olga, não há ninguém que chegue aos seus pés desde a época de Duse!*

— Então, se Levitt for de fato um covarde, como suspeito, as coisas vão se resolver. Não, não vou lhe dizer nada sobre o plano. Quero que você cuide da parte que envolve essa tal de Ryan. Diga-lhe que estou interessada no trabalho dela e que venha jantar comigo amanhã à noite. Ela virá na velocidade de um raio.

— Sem sombra de dúvida!

— A outra coisa que preciso de você é que me arrume um sonífero poderoso, algo capaz de deixar alguém por algumas horas fora de ação, mas que não provoque nenhum efeito colateral no dia seguinte.

Danahan deixou escapar um sorrisinho.

— Não posso garantir que nosso amigo não terá uma dor de cabeça, mas, fora isso, não haverá nenhum dano permanente.

— Ótimo! Mãos à obra, Danny, e deixe o resto por minha conta. — Ela ergueu a voz: — Srta. Jones!

A jovem de óculos apareceu com sua habitual vivacidade.

— Anote isso, por favor.

Caminhando devagar de um lado para o outro, Olga ditou a correspondência do dia. Mas uma das respostas ela redigiu de próprio punho.

Jake Levitt, em seu quarto sórdido, sorriu ao abrir o envelope esperado.

Caro senhor,
Não consigo me lembrar da dama de quem o senhor fala, mas conheço tantas pessoas que minha memória nem sempre é confiável. Estou sempre disposta a ajudar uma colega de profissão, e estarei em minha

---

* Eleonora Duse (1858-1924), famosa atriz italiana.(N.T.)

casa se o senhor tiver a bondade de comparecer esta noite às nove horas.

Sinceramente,
Olga Stormer

Levitt assentiu, revelando sua satisfação. Um bilhete inteligente! Ela não admitiu nada. Apesar disso, está disposta a fazer um acordo. A mina de ouro está se abrindo.

Às nove horas em ponto, Levitt estava em frente à porta da casa da atriz e tocou a campainha. Ninguém atendeu ao chamado, e ele estava prestes a apertar mais uma vez o botão quando percebeu que a porta não estava trancada. Empurrou-a e entrou no hall. À sua direita havia uma porta que se abria para uma sala brilhantemente iluminada, decorada com tons de vermelho e preto. Levitt entrou. Sobre a mesa, debaixo de um foco de luz, havia uma folha de papel que trazia escrito: "Por favor, espere até eu voltar – O. Stormer".

Levitt se sentou e esperou. Contra sua vontade, um sentimento de desconforto começou aos poucos a se apoderar dele. O lugar estava silencioso demais. Havia algo de arrepiante naquela quietude.

Não devia ser nada, claro, como poderia haver algo de errado nisso? Mas ao mesmo tempo, e apesar de a sala estar tão silenciosa, ele tinha a inquietante e absurda sensação de não estar sozinho. Tolice! Enxugou o suor de sua testa. E ainda assim a impressão se tornou ainda mais forte. Ele não estava sozinho! Com um praguejar surdo ele se ergueu e começou a caminhar de um lado para o outro. Logo a mulher estaria ali, então...

Com um leve gemido, ele quedou petrificado. Das cortinas de veludo pretas que cobriam as janelas ele pôde ver, junto ao piso, uma mão que se projetava. Ele se inclinou para tocá-la. Estava gelada – terrivelmente gelada –, a mão de uma morta.

Com um grito ele afastou as cortinas. Uma mulher estava estendida ali, um dos braços estendidos; o outro, sob o corpo, a face voltada para baixo, os cabelos de um loiro acobreado espalhados em camadas sobre o pescoço.

Olga Stormer! Com os dedos tremendo, ele procurou o pulso gelado para ver se descobria alguma pulsação. Como imaginava, nem uma batida. Ela estava morta. Escapara dele do jeito mais simples.

De repente, seus olhos se viram atraídos por uma corda vermelha, em cujas extremidades havia duas fantásticas borlas, semiencobertas pela cabeleira. Tocou-as com cuidado; a cabeça cedeu diante de seu gesto, e ele pôde lançar um olhar sobre a horrível face vermelha. Ele deu um salto para trás, emitindo um grito, a cabeça a girar. Havia algo ali que lhe fugia à compreensão. A breve imagem daquele rosto, desfigurado como estava, revelara-lhe algo fundamental. Tratava-se de assassinato e não de suicídio. A mulher havia sido estrangulada e mais: aquela não era Olga Stormer!

Ah! O que foi isso? Um som às suas costas. Deu meia volta e seus olhos cruzaram os olhos aterrorizados da criada, que se encolhia contra a parede. O rosto dela estava tão branco quanto a touca e o avental que ela usava, mas ele não conseguiu entender o horror completo no olhar dela até ouvir aquelas palavras entrecortadas, que lhe fizeram também enxergar o quão perigosa era sua posição.

– Oh, meu Deus! Você a matou!

Mesmo diante dessas palavras, ele ainda não conseguia ter uma percepção clara do que isso implicava. Respondeu:

– Não, não, ela já estava morta quando eu a encontrei.

– Eu vi que foi você! Você apertou a corda e a estrangulou. Escutei o grito sufocado dela.

O suor começou a escorrer em profusão por sua testa. Reviu com rapidez suas ações nos últimos minutos. Ela devia ter entrado no exato instante em que ele estava com as duas pontas da corda nas mãos; devia ter visto a cabeça pendente e ter tomado o grito que ele dera pelo da vítima. Ele a olhou indefeso. Não havia qualquer dúvida quanto ao que ele podia ler em seu rosto: medo e estupor. Ela diria à polícia que tinha visto o crime ser cometido, e nenhuma acareação poderia alterar-lhe a convicção. Juraria pela própria vida, com a inabalável convicção de que dizia a verdade.

Que horrível e imprevisível encadeamento das circunstâncias! Só um momento: como assim imprevisível? Não haveria ali algum ardil? Levado por um impulso, ele disse, encarando-a com firmeza:

– Você sabe que não se trata da sua patroa, não é?

A resposta dela, dada em um tom mecânico, lançou certa luz sobre a situação.

– Não, é uma atriz amiga dela, se é que se pode chamar as duas de amigas, já que vivem brigando feito cão e gato. A coisa estava feia essa noite, bate e boca e tudo.

Uma armadilha! Agora podia perceber.

– Onde está a sua patroa?

– Saiu dez minutos atrás.

Uma armadilha! E ele caíra feito um patinho. Um diabo de esperta, essa Olga Stormer; havia se livrado de uma rival e ele ainda sofreria as consequências. Assassinato! Meu Deus, eles enforcam um homem por isso! E ele era inocente... Inocente!

Um leve ruído o trouxe de volta à realidade. A pequena criada se dirigia para a porta. Os sentidos dela voltavam à ativa. Seus olhos se moveram na direção do telefone, e então para a porta. A qualquer custo, ele precisava silenciá-la. Era o único jeito. Melhor ser enforcado por um crime verdadeiro do que por um fictício. Ela não tinha nenhuma arma, ele também não. Mas ele tinha as mãos! Então seu coração deu um pulo. Na mesa ao lado dela, quase ao alcance da mão, estava um pequeno revólver cravejado de brilhantes. Se ele pudesse alcançá-lo primeiro...

O instinto ou o seu olhar a alertaram. Ela apanhou a arma, assim que ele fez menção de pegá-la, e a apontou na direção de seu peito. De uma forma estranha, ao empunhá-la, seu dedo se posicionou com exatidão sobre o gatilho. Daquela distância, ela não teria como errar. Ele ficou petrificado. Um revólver pertencente a uma mulher como Olga Stormer com certeza estaria carregado.

Havia, porém, um detalhe. Ela não estava mais diretamente entre o caminho dele e a porta. Contanto que ele não a atacasse, seria difícil que ela tivesse coragem de atirar. Como quer que fosse, ele devia tentar. Ziguezagueando, correu em direção à porta, cruzou o hall e depois a porta principal, fechando-a às suas costas. Ouviu ainda a voz da criada, tremida e distante, gritando: "Polícia! Assassino!". Ela teria que gritar com muito mais vontade se quisesse que alguém a escutasse. Contudo, ele manteve o pique. Desceu correndo os degraus e ganhou a rua, afrouxando o passo logo que dobrou a esquina, para adquirir o aspecto de um pedestre normal. O plano de fuga já estava traçado. Para Gravesand, o mais rápido possível. Um barco partiria essa noite, com destino às mais remotas partes do mundo. Ele conhecia o capitão, um homem que, mediante pagamento, não faria quaisquer perguntas. Uma vez a bordo e a caminho do mar, estaria a salvo.

Às onze da noite, o telefone de Danahan tocou. Ouviu a voz de Olga:

– Prepare um contrato para a srta. Ryan, está bem? Ela será a substituta de Cora. Não tente discutir. Devo-lhe esta, depois de tudo que a fiz passar esta noite! O quê? Sim, creio que meus problemas terminaram. A propósito, se amanhã ela lhe disser que sou uma ardente seguidora do espiritismo e que a coloquei em um transe hoje à noite, não demonstre total incredulidade. Como? Coloquei o sonífero no café e a seguir fiz uns passes científicos! Depois disso, pintei o rosto dela com uma cera vermelha e lhe apliquei um torniquete no braço esquerdo! Perplexo? Bem, mantenha essa sua perplexidade até amanhã. Não tenho tempo para explicar agora. Tenho que me livrar da touca e do avental antes que minha fiel Maud volte do cinema. Está passando um daqueles "belos dramas", ela me disse. Mas ela perdeu o melhor drama de todos. Representei o meu melhor papel hoje, Danny. A luva venceu! Jake Levitt não passa mesmo de um covarde, e, bem, Danny, eu sou realmente uma grande atriz!

ENQUANTO A NOITE DURAR

O Ford bamboleava em cada um dos sulcos da estrada, e o tórrido sol africano despejava seu calor inclemente. Em cada lado do que se poderia chamar de estrada se estendia uma linha contínua de árvores e arbustos, erguendo-se e baixando-se em uma leve ondulação que seguia até onde a vista alcançava, espalhando-se em uma coloração verde-amarela, profunda e suave, e cujo efeito como um todo era extenuante e estranhamente tranquilizador. Alguns pássaros revoavam no silêncio profundo. Uma cobra cruzou a estrada em frente ao carro, escapando da sanha do motorista com seu calmo e sinuoso rastejar. Um nativo saltou do meio dos arbustos, cheio de dignidade, ereto, seguido por uma mulher que trazia uma criança amarrada com firmeza às costas, além de todos seus utensílios domésticos, incluindo uma frigideira, equilibrados com maestria sobre a cabeça.

George Crozier não deixava de apontar todas essas coisas para sua esposa, que lhe respondia com um monossilábico descaso que o tirava do sério.

"Deve estar pensando naquele sujeito", ele deduziu, tomado de raiva. Era assim que ele se referia ao primeiro marido de Deirdre Crozier, morto no primeiro ano da guerra. Outra vítima da campanha contra a parte alemã da África Oriental. Naturalmente, ela deveria estar – ele lançou-lhe um olhar para apreender sua beleza, a maciez branca e rosada de sua face, as formas roliças de sua figura – mais roliça do que quando se conheceram, naqueles idos dias em que ela permitiu com passividade que ele a pedisse em casamento, e então, diante do primeiro temor de guerra, acabasse por afastá-lo de modo abrupto, casando-se às pressas com aquele tipo esguio e bronzeado que era seu amante, Tim Nugent.

Ora, o sujeito estava morto – bravamente morto – e ele, George Crozier tinha casado com a garota que sempre desejara como esposa. Ela também se apaixonara por ele; como poderia ser diferente se ele estava disposto a realizar todo e qualquer desejo dela, além de ter o dinheiro necessário para fazê-lo! Ele refletia com certa complacência sobre o último desejo da mulher, em Kimberley, onde, graças à sua amizade com um dos diretores da De Beers, ele pudera comprar um diamante que, em circunstâncias normais, sequer estaria no mercado, uma pedra que não se destacava pelo tamanho, mas sim por sua extraordinária e rara coloração, de um peculiar e profundo âmbar, que lembrava o tom do ouro envelhecido, um diamante que só aparece de cem em cem anos. E o brilho no olhar dela quando ele a presenteou! Quando o assunto é diamantes, as mulheres são todas iguais.

A necessidade de ter que se segurar com as duas mãos para não ser lançado para fora do veículo trouxe George Crozier de volta ao mundo real. Deixou escapar uma reclamação, talvez pela décima quarta vez, com a desculpável irritação de um homem que era dono de dois Rolls-Royce e que estava acostumado às grandes estradas da civilização:

— Meu Deus, que carro! Que estrada! – Ele seguiu furioso: – Onde fica essa maldita propriedade de tabaco, afinal? Já faz mais de uma hora que deixamos Bulawayo.

— Perdida na Rodésia – disse Deirdre de modo sutil, no ar, entre dois solavancos involuntários.

Mas o motorista cor de café, tentando ser agradável, respondeu com a animadora notícia de que seu destino estava logo ali, depois da próxima curva.

O administrador da propriedade, sr. Walters, esperava-os no pórtico a fim de recebê-los com a devida deferência que George Crozier, por sua proeminente posição na União do Tabaco, merecia. Apresentou sua nora, que conduziu Deirdre através de um hall fresco e escuro até um quarto mais ao fundo, onde ela poderia retirar o véu com o qual sempre se protegia quando tinha de pegar a estrada. Enquanto desfazia-se dos alfinetes, em sua habitual languidez, bastante graciosa, Deirdre deixou que seus olhos percorressem a brancura lavada e horrenda da peça vazia. Por ali não havia luxos, e Deirdre, que adorava o conforto assim como um gato o seu leite, tremeu de leve. Em uma das paredes, havia um texto a confrontá-la: "De que vale para um homem conquistar o mundo inteiro e perder a sua verdadeira alma?".* Era uma pergunta genérica, feita a todo mundo, e Deirdre, satisfeita por tomar consciência de que aquilo não lhe dizia respeito, virou-se para sua acompanhante, que era um tanto tímida e calada. Deirdre notou, mas de um modo nem um pouco malicioso, a largura de suas cadeiras e o traje inapropriado de algodão barato. E com um brilho de silenciosa apreciação, seus olhos se voltaram para seu próprio traje, a magnífica (e dispendiosa) simplicidade do linho branco francês. A beleza de sua roupa, somada ao fato de que ela a trajava, encheu-a de profunda alegria.

Os dois homens a esperavam.

– Tem certeza de que não se aborrecerá em nossa companhia, sra. Crozier?

– Nem um pouco. Nunca estive numa fábrica de beneficiamento de tabaco.

---

* Versículo bíblico. Mateus 16:26. (N.T.)

Eles avançaram pela tarde parada da Rodésia.

– Ali estão as mudas. Foram transplantadas de acordo. Como o senhor pode ver...

A voz do administrador seguia em um tom monótono, interpolada pelas questões da sra. Crozier, que usava de uma voz destacada e aguda. Queria saber do rendimento, do trabalho de prensagem das folhas, dos problemas com os negros. Parava apenas para ouvir as respostas.

Esta era a Rodésia, a terra que Tim amara, onde os dois teriam vivido felizes assim que a guerra terminasse. Se ele não tivesse sido morto! Como sempre, este pensamento a encheu com a amargura da revolta. Dois breves meses – tudo o que haviam tido. Dois meses de alegria – se é que se pode chamar de alegria a essa mistura de êxtase e dor. Mas seria o amor composto apenas de alegrias? Não será o coração de quem ama sujeito a mil torturas? Ela vivera intensamente aquele curto espaço de tempo, mas teria em outro momento de sua vida conhecido tamanha paz, tamanho descanso, essa espécie de existência tranquila que levava agora? E pela primeira vez foi obrigada a admitir, mesmo a contragosto, que, apesar de tudo o que lhe acontecera, talvez tenha sido melhor assim.

"Eu não gostaria de viver aqui. É provável que não tivesse conseguido fazer o Tim feliz. Eu iria desapontá-lo. George me ama, e sou apaixonada por ele, e ele é muito, muito bom para mim. Veja esse diamante que ele me comprou uns dias atrás." E, ao pensar nisso, suas pálpebras se fecharam um pouco de puro prazer.

– Aqui neste local nós amarramos as folhas.

Walter os conduziu por um longo galpão de teto baixo. No chão se estendiam vastas pilhas de folhas verdes, e "garotos" negros vestidos de branco sentavam-se ao redor delas, escolhendo e rejeitando-as com seus dedos habilidosos, separando-as por tamanho, prendendo-as umas às outras com uma espécie de agulha primitiva em uma longa cadeia. Trabalhavam com uma doce tranquilidade, fazendo brincadeiras entre si, mostrando seus dentes brancos quando sorriam.

– Agora, vamos sair...

Atravessaram o galpão e saíram outra vez para a luz do dia, onde as folhas enfileiradas e penduradas secavam ao sol. Deirdre aspirou com delicadeza a suave fragrância, quase imperceptível, que se espalhava pelo ar.

Walters os conduziu até outro galpão, onde as folhas de tabaco, tocadas pelo sol até adquirirem um sutil tom amarelado, recebiam o tratamento seguinte. Estava escuro ali, as folhas amarronzadas balançando sobre suas cabeças, prontas para se esfarelarem a um toque mais rude. A fragrância era mais forte, quase avassaladora, pareceu a Deirdre, e de repente uma espécie de terror a dominou, um medo que não tinha nome, que a fez sair daquela escuridão olente e ameaçadora em direção à luz do sol. Crozier notou-lhe a palidez.

– O que houve, querida, você não se sente bem? O sol, talvez. É melhor não nos acompanhar através das plantações, está bem?

Walters se mostrou solícito. Era melhor que a sra. Crozier voltasse para a casa e descansasse. Chamou um dos homens, que estava ali perto.

– Sr. Arden. Esta é a sra. Crozier. Ela está um pouco abalada por causa do calor. Leve-a de volta para a casa, está bem?

A tontura momentânea começou a ceder. Deirdre caminhava ao lado de Arden. Ela ainda mal olhara para ele.

– Deirdre!

O coração dela deu um salto, e então parou. Apenas uma pessoa pronunciara seu nome com aquela entonação, com uma leve compressão da primeira sílaba que fazia daquilo uma carícia.*

---

* Em inglês, querida é *dear*, cujo som é bastante semelhante à primeira sílaba do nome da personagem. (N.T.)

Ela se virou e olhou firmemente para o homem que estava ao seu lado. O sol havia tornado sua pele quase negra, ele manquejava, e na face mais próxima a ela uma longa cicatriz lhe alterara os traços, mas ainda assim ela foi capaz de reconhecê-lo.

– Tim!

Pelo tempo que pareceu a ela uma eternidade, os dois se encararam, calados e tremendo, e então, sem saber nem como, nem por quê, lançaram-se um nos braços do outro. Para eles, era como se o tempo revertesse o seu fluxo. Depois voltaram a se separar, e Deirdre, consciente da estupidez da pergunta enquanto a proferia, disse:

– Então você não está morto?

– Não, eles devem ter me confundido com outro cara. Eu tinha sofrido um ferimento grave na cabeça, mas eu consegui me recompor e dei um jeito de me arrastar até os arbustos. Depois disso, não sei o que se passou por vários meses, mas uma tribo amiga cuidou de mim, até que por fim eu estava recuperado e capaz de retornar à civilização. – Ele fez uma pausa. – Descobri que você se casou há seis meses.

– Oh, Tim, por favor, entenda a minha situação! Foi tudo tão terrível, a solidão... e a pobreza. Não me importaria de ser pobre ao seu lado, mas quando fiquei sozinha não tive fibra para resistir à sordidez que me envolvia.

– Está tudo bem, Deirdre, entendi a sua atitude. Sei que você sempre desejou levar uma boa vida, cheia de luxos. Tirei você uma vez desse caminho, mas para fazer isso pela segunda vez, bem, seria preciso uma audácia de que já não dispunha. Eu estava arruinado, como você pode ver agora, mal podia andar sem uma muleta, e, além disso, havia essa cicatriz.

Ela o interrompeu com fervor.

– Você acha que eu ia dar importância para isso?

– Não, eu sei que você não daria. Fui um tolo. Algumas mulheres se importariam, entende? Pus na minha cabeça que eu devia encontrar uma maneira de entrar em contato com você. Se você parecesse feliz, se me parecesse que você estava contente ao lado de Crozier... então eu seguiria morto. Fui vê-la. Vi você entrando em um carrão. Vestia um adorável casaco de pele de zibelina, coisas que eu jamais poderia lhe dar, mesmo que gastasse meus dedos até os ossos, e você parecia bastante feliz. Eu já não tinha a mesma força e coragem, aquela crença em mim mesmo que eu tinha antes da guerra. Tudo o que eu podia enxergar era esse farrapo humano que eu tinha me tornado, dificilmente capaz de mantê-la... E lá estava você, Deirdre, tão bonita, uma verdadeira rainha entre as outras mulheres, tão merecedora das peles e joias e trajes adoráveis e dos 101 luxos que Crozier poderia lhe oferecer. Tudo isso e, bem, a dor de vê-los juntos, fizeram com que eu me decidisse. Todos pensavam que eu tinha morrido. E teria permanecido assim.

– A dor! – repetiu Deirdre em um fio de voz.

– Para o diabo com tudo, Deirdre. Tudo isso dói! Não que eu a culpe. Não a culpo. Mas a dor continua!

Os dois ficaram em silêncio. Então Tim ergueu o rosto dela e os dois se beijaram com uma ternura renovada.

– Mas tudo isso é passado, querida. A única coisa que resta decidir é como vamos revelar tudo a Crozier.

– Oh! – Ela se afastou de modo abrupto. – Não tinha pensado nisso... – Ela se afastou no justo momento em que Crozier e o administrador surgiram no seu ângulo de visão. Com um leve girar de cabeça, ela sussurrou:

– Não faça nada. Deixe tudo por minha conta. É preciso prepará-lo. Onde posso encontrá-lo amanhã?

Nugent refletiu.

– Eu poderia ir até Bulawayo. Que tal aquela café próximo ao Standard Bank? Às três da tarde o lugar deve estar bem vazio.

Deirdre assentiu levemente antes de lhe dar as costas para se unir aos outros dois homens. Tim Nugent observou-a enquanto ela se afastava com o cenho um pouco franzido. Algo no jeito dela o pusera confuso.

Deirdre esteve bastante calada no caminho de casa. Protegida sob a ficção da "insolação", ela deliberava sobre suas ações futuras. Como ela faria para lhe contar? Como George receberia a notícia? Uma estranha lassidão parecia possuí-la, seguida de um crescente desejo de postergar a revelação o máximo que pudesse. Amanhã surgiria a ocasião. Havia bastante tempo até as três da tarde.

O hotel era desconfortável. O quarto em que estavam ficava no térreo, aberto para o pátio interno. Durante o anoitecer, Deirdre ficou aspirando o ar rançoso e olhando com desgosto para a mobília de mau gosto. Sua mente levava-a para longe, para a suntuosidade fácil de Monkton Court entre os pinheirais de Surrey. Quando sua criada por fim a deixou, ela foi devagar até sua caixa de joias. Na palma de sua mão, o diamante dourado refletia-lhe a mirada.

Com um gesto quase violento, ela o devolveu para dentro da caixa e bateu a tampa com força. Amanhã de manhã ela contaria tudo a George.

Ela dormiu mal. Sentia-se sufocar debaixo das grossas telas do mosquiteiro. A palpitante escuridão era pontuada pela ubiquidade dos ruídos que ela aprendera a temer. Ela acordou pálida e desanimada. Impossível começar uma cena naquela hora do dia!

Ela ficou no pequeno quarto fechado durante toda a manhã, descansando. A hora do almoço lhe chegou com uma sensação de choque. Enquanto bebiam o café, sentados, George Crozier lhe propôs que fossem até Matopos.

– Haverá bastante tempo se sairmos agora.

Deirdre negou o convite, alegando dor de cabeça, pensando: "Isso resolve as coisas. Não posso me apressar. Afinal, que diferença faz um dia a mais? Depois eu explico para o Tim".

Despediu-se de Crozier enquanto ele se afastava no maltratado Ford. Então, olhando para o seu relógio, caminhou vagarosamente em direção ao local do encontro.

O café estava vazio naquela hora. Sentaram-se a uma pequena mesa e pediram o inevitável chá que se bebe na África do Sul a qualquer hora da noite ou do dia. Nenhum dos dois disse palavra até que a garçonete trouxesse o pedido e desaparecesse com rapidez atrás de umas cortinas rosadas. Então Deirdre ergueu os olhos e ficou a encarar fixamente o olhar intenso e alerta que ele lhe dirigia.

– Você contou tudo para ele, Deirdre?

Ela balançou a cabeça, umedecendo os lábios, procurando pelas palavras que teimavam em não vir.

– Por que não?

– Não tive oportunidade, não houve tempo.

Mesmo para ela as palavras soaram vacilantes e pouco convincentes.

– Não é isso. Há alguma coisa mais. Suspeitei disso ontem. Agora tenho certeza. Deirdre, o que está acontecendo?

Ela moveu a cabeça de modo tolo.

– Há algum razão para que você não queira abandonar George Crozier, para que não queira voltar para mim? Vamos, o que é?

Era verdade. Como ele mesmo dissera, ela sabia, sabia disso com uma súbita e vexatória vergonha, mas que em nada diminuía a certeza de saber que o que ele tinha dito estava certo. E os olhos dele continuavam a perscrutá-la.

– Sei que não se trata de amor por ele! Você não o ama. Mas há alguma coisa.

Ela pensou: "Mais um pouco e ele descobrirá! Oh, meu Deus, não deixe que ele descubra!".

De repente, sua face empalideceu.

– Deirdre... não vá me dizer... que você vai ter um filho?

Num instante, ela percebeu a chance que ele lhe oferecera. Uma saída espetacular! Vagarosamente, quase contra sua própria vontade, ela assentiu com a cabeça.

Ela escutou a respiração dele se tornar ofegante, e depois sua voz, um tanto alterada e dura.

– Isso... altera as coisas. Eu não sabia. Teremos que encontrar outra maneira de resolver a questão. – Ele se debruçou sobre a mesa e tomou as mãos dela. – Deirdre, minha querida, jamais pense... jamais sonhe que você é culpada do que quer que seja. Independente do que acontecer, lembre-se disso. Eu devia tê-la procurado quando retornei à Inglaterra. Eu estraguei tudo, agora cabe a mim tentar resolver a situação. Entende? O que quer que aconteça, não se preocupe, querida. Nada disso é sua culpa.

Ele levou primeiro uma das mãos dela, depois a outra, até seus lábios. Então ela estava sozinha, olhando para o chá intacto. E, por estranho que parecesse, havia apenas uma coisa que ela podia enxergar: um texto alegremente iluminado, suspenso em uma parede lavada. As palavras pareciam saltar dali e se lançar sobre ela. "De que vale para um homem..." Ela se levantou, pagou o chá e saiu.

Ao retornar, George Crozier encontrou um aviso de sua esposa pedindo para não ser incomodada. Sua dor de cabeça, disse a criada, estava terrível.

Eram nove da manhã do dia seguinte quando ele entrou no quarto dela, o rosto bastante fechado. Deirdre estava sentada na cama. Ela parecia pálida e abatida, mas seus olhos brilhavam.

– George, preciso lhe contar uma coisa, uma coisa bastante terrível...

Ele a interrompeu de maneira brusca.

– Então você já sabe. Temia que isso fosse incomodá-la.

– Me *incomodar*?

— Sim. Naquele dia você falou com aquele pobre sujeito.

Ele viu que ela levava a mão ao peito, que suas pálpebras se contraíam. Então, em uma voz rápida e soturna, que de certo modo o assustou, ela disse:

— Não sei de nada. Rápido, diga-me o que está acontecendo?

— Pensei que...

— Diga!

— Lá na propriedade de tabaco. O pobre coitado se deu um tiro. Havia sido estropiado pela guerra, tinha os nervos em frangalhos, eu acho. Não há qualquer outra razão para que ele possa ter feito uma coisa dessas.

— Ele se deu um tiro... lá no galpão onde as folhas de tabaco ficam penduradas. – Ela disse isso com certeza, seus olhos como os de uma sonâmbula, enquanto o via diante de si, estendido no chão, segurando o revólver, imerso na olorosa escuridão.

— Sim, exatamente, naquele mesmo local em que você passou mal. Que coisa estranha!

Deirdre não respondeu. Ela via outra imagem: uma mesa com um aparelho de chá, e uma mulher assentindo com a cabeça, aceitando uma mentira.

— A guerra continua fazendo suas vítimas – disse Crozier, e esticou a mão para apanhar um fósforo, acendendo seu cachimbo com cuidadosas baforadas.

O grito de sua esposa o consternou.

— Ah! Apague isso! Apague! Não posso suportar o cheiro!

Ele a encarou com amável surpresa.

— Minha querida menina, você deve estar nervosa. Afinal, aqui não se pode escapar do cheiro do tabaco. Você vai encontrá-lo em toda parte.

— Sim, em toda parte! – Ela deixou escapar um sorriso lento, tortuoso, e murmurou algumas palavras que ele não pôde entender, palavras que ela escolhera para o original obituário de Tim Nugent. "Enquanto a noite durar eu me lembrarei, e na escuridão jamais poderei esquecer".

Seus olhos se apertaram enquanto acompanhavam as ascendentes espirais de fumaça. Em voz baixa e num tom monótono ela repetia:

– Em toda parte, em toda parte.

A CASA DOS SONHOS

Esta é a história de John Segrave – de sua vida, que foi insatisfatória; de seu amor, que foi insatisfatório; de seus sonhos, e de sua morte; e se nos dois últimos ele encontrou o que lhe havia sido negado nos dois primeiros, então sua vida, afinal, talvez possa ser tomada como bem-sucedida. Quem poderá saber?

John Segrave era de uma família que aos poucos foi entrando em decadência, ao longo do último século. Haviam sido proprietários de terra desde a era elisabetana, até que seu último quinhão de terra acabou sendo vendido. Pensava-se que um dos filhos, ao menos, deveria adquirir a proveitosa arte de fazer dinheiro. Foi uma inconsciente ironia do destino que John fosse o escolhido.

Com sua boca estranhamente sensível e com as longas fendas de um azul profundo dos olhos, que mais sugeriam um elfo ou um fauno – algo de selvagem e de silvestre –, era uma incongruência que ele tivesse que ser oferecido em sacrifício no altar das finanças. O cheiro da terra, o gosto salgado do mar que fica nos lábios, e o céu aberto sobre a cabeça – essas eram as coisas amadas por John Segrave, e para todas elas ele teve que dar adeus.

Aos dezoito anos, tornou-se secretário-júnior em uma grande casa de negócios. Sete anos mais tarde, continuava como secretário, mas já não tão "júnior", embora seu status seguisse inalterado. A faculdade de "subir na vida" não fazia parte de seus atributos. Era pontual, diligente, esforçado – um secretário, e nada além de um secretário.

E apesar disso, ele poderia ter sido... o que mesmo? Era praticamente incapaz de responder a si mesmo essa questão, mas, ao mesmo tempo, não conseguia se livrar da convicção de que em algum lugar havia um tipo de vida em que ele poderia fazer a diferença. Tinha força dentro de si, fineza de visão, alguma coisa que seus companheiros de trabalho, sujeitos empenhados, jamais poderiam suspeitar existir. Eles gostavam dele. Era popular devido ao seu ar de distraída camaradagem, e nunca foram capazes de se dar conta de que era dessa maneira que ele também impedia que qualquer intimidade verdadeira fosse estabelecida.

O sonho lhe veio sem aviso. Não se tratava de uma fantasia infantil, que tivesse nascido e se desenvolvido ao longo dos anos. Surgira numa noite de verão, ou, melhor dizendo, numa madrugada, um sonho que o despertou com formigamentos por todo o corpo, que ele teve de lutar para manter em sua mente, combatendo sua natureza fugidia, que lhe escapava por entre os dedos.

De forma desesperada, ele conseguiu fixá-lo. Ele não pode fugir... não pode... Ele precisava lembrar da casa. Era *a* Casa, claro! A casa que ele conhecia tão bem. Era uma casa de verdade, ou ele apenas a vira em sonhos? Não conseguia se lembrar, mas ele a conhecia, claro que a conhecia, isso era evidente.

A pálida luz acinzentada da alvorada invadia o quarto. A quietude era extraordinária. Às quatro e meia da manhã, Londres, a fatigada Londres, encontrava seu breve instante de paz.

John Segrave ficou em silêncio, envolto na alegria, na maravilha e beleza de seu sonho perfeito. Que industrioso da parte dele lembrar de tudo! Um sonho que passou tão rápido como de costume, voando, enquanto a consciência do despertar ainda trazia os dedos entorpecidos, incapazes de agarrá-lo. Mas ele fora veloz o suficiente para apanhar este sonho! Ele o prendera no justo momento em que passava sobre ele.

Era, de fato, um sonho notável! Lá estava a casa... Sua mente racional voltou a funcionar de repente, pois, ao pensar bem, percebeu que não conseguia lembrar de nada além da casa. E, de súbito, com um leve desapontamento, reconheceu, afinal, que aquela casa lhe era estranha. Não havia sequer sonhado com ela antes.

Era uma casa branca, localizada sobre uma elevação. Havia árvores ao redor, colinas azuis à distância, mas seu charme peculiar independia do entorno porque (e esse era o ponto, o clímax do sonho) se tratava de uma bela casa, uma casa estranhamente bela. Sua pulsação disparou ao lembrar, de modo renovado, da estranha beleza da casa.

A parte externa, claro, pois não estivera em seu interior. Não havia qualquer dúvida quanto a isso.

Então, à medida que os contornos de seu quarto começaram a adquirir forma, vivificados pela crescente luminosidade, experimentou a desilusão do sonhador. Talvez, depois de tudo, seu sonho não tenha sido assim tão maravilhoso – ou talvez a parte maravilhosa, onde tudo era explicado, tenha lhe escapado por entre os dedos, escarnecendo de suas mãos inábeis? Uma casa branca, construída sobre um lugar elevado, ora, não havia tanta razão assim para se emocionar. Era uma casa bastante grande, ele se lembrava, com várias janelas, e as persianas estavam todas fechadas, não porque as pessoas não estivessem ali (estava certo disso), mas porque ainda era muito cedo e ninguém estava de pé.

Depois disso, começou a gargalhar do absurdo de seus devaneios, e se lembrou de que tinha que jantar com o sr. Wetterman naquela noite.

Maisie Wetterman era a filha única de Rudolf Wetterman, e tinha sido acostumada, ao longo da vida, a ter todos os seus desejos atendidos. Certa vez, ao fazer uma visita ao escritório do seu pai, ela tomara conhecimento da existência de John Segrave. Ele havia entrado com umas cartas solicitadas pelo pai dela. Logo depois que ele se retirou, ela perguntou ao pai quem era. Wetterman gostava de uma boa conversa.

– Um dos filhos de sir Edward Segrave. De uma daquelas velhas e magníficas famílias, mas que agora se encontra nos últimos estertores. Esse rapaz jamais deixará o Tâmisa em chamas. É um bom sujeito, mas nada além disso. Não tem motivação, entende?

Maisie, quem sabe, fosse indiferente à motivação. Era uma qualidade valorizada mais por seu pai do que por ela mesma. De qualquer maneira, duas semanas depois, convenceu o pai a convidar John Segrave para jantar. Foi um jantar íntimo, ela e o pai, John Segrave, e uma amiga que estava na companhia dela.

A amiga tinha sido trazida para fazer algumas observações.

– Com consentimento, eu suponho, Maisie? Mais tarde, o papai o trará para casa, embrulhado num lindo papel de presente, para dá-lo à sua querida filhinha, devidamente pago e recebido.

– Allegra! Você está passando dos limites.

Allegra Kerr sorriu.

– Ora, você é cheia de caprichos, e sabe disso, Maisie. Gostei daquele chapéu... É meu! Se é assim com chapéus, por que não com maridos?

– Não seja ridícula. Mal falei com ele ainda.

– Não. Mas já está de cabeça feita – disse a outra. – O que a atrai nele, Maisie?

– Não sei – disse Maisie Wetterman devagar. – Ele é... diferente.

— Diferente?

— Sim. Não sei explicar. Ele tem boa aparência, sabe, de um jeito um pouco estranho, mas não se trata disso. É como se ele não me notasse. Sério, mal pude acreditar que ele não me deu nem uma olhadinha aquele dia lá no escritório do papai.

Allegra riu.

— Esse truque é velho. Um jovem bastante astuto, eu diria.

— Allegra, você é odiosa!

— Alegre-se, querida. Papai comprará um cordeirinho bem fofinho para sua adorável filhinha.

— Não quero que seja assim.

— O que você quer, então, é um amor com A maiúsculo?

— Por que ele não pode se apaixonar por mim?

— Não há nada que impeça. Vamos torcer para que aconteça.

Allegra sorria enquanto falava, e deixou que seu olhar deslizasse sobre a outra. Maisie Wetterman era baixinha — com uma leve tendência ao sobrepeso —, tinha cabelos negros, bem-cortados e arranjados com arte. Sua pele e boca, que ao natural já eram bonitas, eram realçadas pelas mais recentes cores de pó e de batom. Tinha bons dentes, olhos negros, brilhantes, um pouco pequenos, o maxilar e queixo um pouco pesados. Estava belamente vestida.

— Sim — disse Allegra, terminando seu escrutínio. — Não tenho dúvidas de que ele se apaixonará. O conjunto está soberbo, Maisie.

A amiga olhou para ela com um olhar de dúvida.

— Estou dizendo a verdade — continuou Allegra. — Palavra de honra. Mas, vamos supor, para salvar nosso raciocínio, que ele não se apaixone por você. Vamos supor que sua afeição seja sincera, mas nada além de platônica. O que acontecerá então?

– Talvez eu nem goste dele quando o conhecer melhor.

– É possível. Por outro lado, você pode se apaixonar por ele de verdade. E se isso acontecer...

Maisie ergueu os ombros.

– Era de se esperar que eu tivesse orgulho...

Allegra a interrompeu.

– O orgulho só tem função quando é necessário mascarar o que a gente sente... Mas não pode evitar que a gente sinta.

– Bem – disse Maisie, enrubescendo. – Não vejo razão para não dizer isso. *Sou* um ótimo partido. Quero dizer... do ponto de vista dele, filha de papai e tal.

– Sociedade na empresa etc. – disse Allegra. – Sim, Maisie. Você é a filha do papai, tudo bem. Isso muito me agrada. Gosto que minhas amigas não estejam nem aí para as aparências.

O leve ar zombeteiro de seu comentário fez com que a outra se sentisse constrangida.

– Você é odiosa, Allegra.

– Mas estimulante, querida. É por isso que você me quer aqui. Sou uma estudante de história, como você sabe, e sempre me intrigou que o bobo da corte não só fosse permitido, mas também encorajado. Agora que estou eu mesma cumprindo essa função, consigo entender tudo. É, de fato, um bom papel, um papel ativo. Lá estava eu, orgulhosa e sem um centavo no bolso, como uma dessas heroínas de folhetim, bem-nascida e mal-educada. "O que fazer, garota? Sabe Deus", ela disse. A garota sem boas relações, toda cheia de disposição para fazer as coisas e sem um braseiro sequer no quarto, contente em realizar os trabalhos mais esdrúxulos para "ajudar a querida Fulaninha de Tal", parecia ser esse o seu destino. Ninguém queria saber dela de verdade... exceto aquelas pessoas que não conseguiam manter os seus criados, e, por isso, tratavamna como se fosse uma escrava das galés. Assim me tornei a boba da corte. Insolente, direta, uma pitada de perspicácia aqui e ali (nada em demasia, a fim de que eu não perdesse meu ganha-pão) e, por trás disso tudo, uma astuta capacidade de observar a natureza humana. As pessoas no fundo desejam ouvir o quão terríveis elas mesmas são. Essa é a razão por que elas se congregam ao redor desses pastores populares. Foi uma decisão que me tornou um grande sucesso. Estou sempre sobrecarregada de convites. Posso viver tranquilamente às custas de minhas amigas, e tenho o cuidado de não aparentar gratidão.

– Não há ninguém como você, Allegra. Você não dá a mínima importância para o que diz.

– É aí que você se engana. Dou importância sim... Considero e reflito sobre aquilo que digo. Essa minha aparente língua solta é sempre calculada. Preciso ser cuidadosa. Esse trabalho deve me garantir na velhice.

– Por que não tenta um casamento? Sei que já lhe choveram propostas.

– Jamais poderei me casar.

– Porque... – Maisie deixou a frase incompleta, os olhos na sua amiga. A última assentiu de leve.

Ouviram-se passos na escada. O mordomo abriu a porta e anunciou:

– O sr. Segrave.

John compareceu sem qualquer sinal perceptível de entusiasmo. Não podia imaginar por que o velho o havia convidado. Se ele pudesse escapar ao jantar, na certa o teria feito. A casa o deprimia, com sua sólida magnificência e a maciez felpuda de seus tapetes.

Uma garota avançou e lhe deu um aperto de mão. Lembrava-se vagamente de tê-la visto certo dia no escritório de seu pai.

– Como vai, sr. Segrave? Sr. Segrave, essa é a srta. Kerr.

Então ele saiu de sua letargia. Quem era ela? De onde tinha saído? Dos panos flutuantes de um vermelho fogo que a cobriam, até as pequenas asas de Mercúrio em sua pequena cabeça grega, tratava-se de uma criatura transitória e fugidia, que se destacava do monótono cenário com um efeito de irrealidade.

Rudolf Wetterman entrou na sala, a ampla extensão cintilante de seu peitilho rangendo ao seu caminhar. Dirigiram-se para a sala de jantar de modo informal.

Allegra Kerr ocupou-se do anfitrião. John Segrave teve que se voltar para Maisie. Mas todos os seus pensamentos estavam fixos na garota do outro lado. Ela era maravilhosamente carismática. Seu carisma, ele pensou, era mais estudado do que natural. Mas, por trás disso tudo, havia alguma coisa. Uma chama ardente, intermitente, caprichosa, algo como o fogo-fátuo que nos velhos tempos atraía os homens para o pântano.*

Por fim, conseguiu uma oportunidade de falar com ela. Maisie transmitia ao pai um recado de um amigo que ela havia encontrado naquele dia. Agora que o momento tinha surgido, sentia a língua falhar. Lançou a ela um silencioso olhar de súplica.

– Conversação para jantares – ela disse com leveza. – Devemos começar com as encenações naturais, ou talvez por uma daquelas inumeráveis formas de se estabelecer um diálogo que começam com "O senhor gosta de...?"

John riu.

– E se descobrimos que gostamos de cachorros e antipatizamos com gatos do mato, isso formará o que se chama de "laço" entre nós dois?

---

* No original, há uma referência ao conto folclórico, recorrente em toda a Grã-Bretanha, de will-o'-the-wisp, segundo o qual um ferreiro, de nome Will, depois de desperdiçar uma nova chance de salvar sua alma, é condenado a vagar eternamente pela terra. O diabo lhe oferece uma chama, que ele deveria usar para se esquentar, mas que acaba utilizando para enganar viajantes e conduzi-los à perdição nos pântanos. (N.T.)

— Seguramente — disse Allegra com seriedade.

— É uma pena, me parece, começar com um catecismo.

— Mas isso permite que a conversação siga dentro dos limites.

— É verdade, mas com resultados desastrosos.

— É importante conhecer as regras... ainda que seja para rompê-las.

John sorriu para ela.

— Suponho, então, que nós dois seremos indulgentes com nossas extravagâncias pessoais. Ainda que dessa maneira apresentemos a genialidade que se assemelha à loucura.

Com um movimento brusco e descuidado, a mão da garota derrubou uma taça de vinho no chão. Houve o tilintar do estilhaçar do cristal. Maisie e o pai interromperam sua conversa.

— Sinto muito, sr. Wetterman. Agora dei para jogar taças no chão.

— Minha querida Allegra, isso não tem nenhuma importância.

De súbito, John Segrave disse rapidamente:

— Uma taça quebrada. Isso é sinal de má sorte. Queria... que isso não tivesse acontecido.

— Não se preocupe. Como é mesmo? "Você não pode trazer má sorte para um lugar em que já mora a má sorte."

Ela se voltou mais uma vez para Wetterman. John, retomando a conversa com Maisie, tentava reconhecer a citação. Eram as palavras de Sieglinde, em *Die Walküre**, no momento em que Sigmund se oferece para deixar a casa.

Ele pensou: "Será que ela quis dizer que...".

Mas Maisie perguntava qual era a opinião dele sobre o último espetáculo em cartaz. Logo ele já tinha admitido sua paixão pela música.

---

* Segunda das quatro óperas de Richard Wagner (1813-1883) que compõem o ciclo *O anel dos Nibelungos*. (N.T.)

– Depois do jantar – disse Maisie –, faremos com que Allegra toque para a gente.

Foram todos juntos para a sala de estar. No seu íntimo, Wetterman considerava isso um hábito bárbaro. Gostava da pesada gravidade do vinho circulando, os charutos em punho. Mas talvez, nesta noite, fosse melhor assim. Não fazia a mais vaga ideia do que dizer para o jovem Segrave. Maisie abusava de seus caprichos. O rapaz não era sequer um exemplo de boa aparência, e certamente não era divertido. Ficou satisfeito quando Maisie pediu a Allegra Kerr que fosse tocar. Isso faria a noite passar mais depressa. O jovem paspalho sequer jogava bridge.

Allegra tocava bem, embora carecesse da convicção de uma profissional. Tocava música moderna, Debussy e Strauss, um pouco de Scriabine. Então ela deixou cair o primeiro movimento da *Patética* de Beethoven, aquela expressão de um pesar que é infinito, de uma tristeza que é infinita e tão vasta quanto as próprias eras, mas que de ponta a ponta respira o espírito que não aceitará a derrota. Na solenidade da imorredoura aflição, esse espírito se move com o ritmo de um conquistador em direção à sua ruína final.

Perto do fim, ela hesitou, seus dedos tocaram um acorde errado, e ela interrompeu a execução de modo abrupto. Seus olhos buscaram os de Maisie e ela deu uma risada irônica.

– Veja – ela disse. – Eles não me permitem.

Então, sem esperar por uma resposta ao seu comentário bastante enigmático, engajou-se em uma estranha e assombrosa melodia, um tema composto de estranhas harmonias e uma curiosa divisão de compasso, algo assaz diferente do que Segrave já ouvira antes. Era delicado como o voo de um pássaro, equilibrado, flutuando no ar. De súbito, sem qualquer aviso, aquilo se tornou um mero amontoado de notas dissonantes, e Allegra se levantou sorridente do piano.

Apesar de sua risada, parecia perturbada e quase assustada. Sentou-se ao lado de Maisie, e John a ouviu dizer à amiga em voz baixa:

– Você não devia fazer isso. Não devia mesmo.

– Que peça foi essa que ouvimos por último? – John perguntou com ansiedade.

– Uma composição própria.

Ela respondeu de modo curto e grosso. Wetterman trocou de assunto.

Naquela noite, John Segrave sonhou novamente com a Casa.

John estava insatisfeito. Sua vida lhe parecia mais enfadonha do que nunca. Até aquele momento, ele a havia aceitado com paciência – uma necessidade desagradável, mas que mantinha sua liberdade interior essencialmente intocada. Agora tudo mudara. O mundo exterior e o interior haviam se misturado.

Não disfarçava para si mesmo a razão dessa mudança: ele tinha se apaixonado à primeira vista por Allegra Kerr. O que ele faria quanto a isso?

Naquela primeira noite, estivera por demais desconcertado para elaborar qualquer tipo de plano. Não chegara sequer a tentar vê-la de novo. Um pouco mais tarde, quando Maisie Wetterman o convidou para passar o fim de semana na propriedade rural de seu pai, ele foi cheio de expectativas, mas logo se viu desapontado, pois Allegra não estava lá.

Ele mencionou o nome dela uma vez a Maisie, tentando descobrir alguma coisa, e ela lhe disse que Allegra estava na Escócia, fazendo uma visita. Ele deixou o assunto morrer. Gostaria de seguir falando sobre ela, mas as palavras pareciam travar em sua garganta.

Maisie ficou ainda mais confusa com ele naquele fim de semana. Ele não parecia ser capaz de ver – de ver com clareza aquilo que havia para ser visto. Ela era uma jovem muito direta em seus métodos, mas objetividade não mostrava efeitos sobre John. Ele a achava gentil, mas um pouco dominadora.

Contudo, o destino era mais forte que Maisie. Queria que John voltasse a ver Allegra.

Encontraram-se no parque em uma tarde de domingo. Ele a avistara ao longe, e o coração quase lhe saltou pela boca. Suponhamos que ela o tivesse esquecido...

Mas não esquecera. Ela parou e começou a falar. Em poucos minutos, os dois caminhavam lado a lado, cortando o gramado. Ele estava ridiculamente feliz.

De modo inesperado e repentino, ele perguntou:
– Você acredita em sonhos?
– Acredito em pesadelos.

A aspereza em sua voz o surpreendeu.
– Pesadelos – ele repetiu, estupidificado. – Não quis dizer pesadelos.

Allegra olhou para ele.
– Não – ela disse. – Nunca houve pesadelos em sua vida. É fácil perceber.

A voz dela vinha gentil... diferente...

Ele contou a ela de seu sonho com a casa branca, balbuciando um pouco. Ele o havia tido então seis – melhor, sete vezes. Sempre igual. Era lindo – tão lindo!

Ele prosseguiu.
– Perceba... tem a ver com você... de certa maneira. Sonhei com a casa na noite antes de conhecê-la....
– Tem a ver comigo? – Ela sorriu, uma risada amarga e curta. – Oh, não, isso é impossível. A casa é linda.
– Assim como você – disse John Segrave.

Allegra enrubesceu de leve, a contragosto.
– Sinto muito... Isso foi uma estupidez de minha parte. Foi como se eu estivesse esperando por um elogio, não é? Mas não era essa a minha intenção. Por fora, sei que causo boa impressão.

— Não vi o interior da casa ainda — disse John Segrave. — Quando isso acontecer, tenho certeza de que será tão belo quanto a parte exterior.

Ele falava devagar e com seriedade, dando às palavras um significado que ela preferiu ignorar.

— Há mais uma coisa que quero lhe contar... se você estiver disposta a ouvir.

— Sim, ouvirei.

— Estou deixando esse meu empreguinho. Deveria ter feito isso há muito tempo... só agora percebo. Contentei-me em ir levando as coisas apenas, ciente que eu não passava de um fracassado, sem me importar muito, vivendo um dia depois do outro. Um homem não deveria fazer isso. É tarefa de um homem encontrar uma atividade que possa executar e desempenhá-la com sucesso. Estou largando tudo para me dedicar a outra coisa... algo bem diferente. É uma espécie de expedição à África Ocidental... Não posso lhe dar mais detalhes. Não há como ter certeza; mas, se tudo der certo... é possível que eu me torne um homem rico.

— Então você também é daqueles que medem o sucesso pelo dinheiro?

— Dinheiro — disse John Segrave — significa apenas uma coisa para mim: você! Assim que eu voltar... — ele fez uma pausa.

Ela curvou a cabeça. Seu rosto se tornara bastante pálido.

— Não quero me fazer de desentendida. Por isso, devo lhe dizer agora, de uma vez por todas: *jamais me casarei*.

Considerou o que ela disse por um momento, depois do qual disse, com gentileza:

— Pode me dizer por quê?

— Eu poderia, mas por nada nesse mundo gostaria de lhe contar.

Voltou a ficar em silêncio, então, de súbito, ele ergueu os olhos e um sorriso, a um só tempo singular e atraente, iluminou seu rosto de fauno.

– Entendo – ele disse. – Então não me deixará entrar do lado de dentro da Casa... nem que seja para espiar por um segundo? As persianas permanecerão fechadas.

Allegra se inclinou para a frente e deixou que sua mão tocasse a dele.

– Vou lhe contar apenas isso. Você sonha com a sua Casa. Mas eu... eu não sonho. Meus sonhos são sempre pesadelos!

E, depois disso, ela o deixou, de maneira abrupta e desconcertante.

Naquela noite, mais uma vez, ele sonhou. Nos últimos tempos, ele havia percebido que a casa, muito provavelmente, estava ocupada. Ele vira uma mão afastando as persianas, captara um lampejo de figuras que se moviam lá dentro.

Nesta noite, a Casa parecia mais bela do que nunca. Suas paredes brancas brilhavam sob a luz do sol. A paz e a beleza dela eram completas.

Então, de súbito, tornou-se consciente de uma propagação mais ampla das ondas de alegria. Alguém vinha à janela. Ele sabia. Uma mão, a mesma mão que tinha visto antes, afastou a persiana, recolhendo-a. Um minuto mais e ele poderia ver...

Ele estava acordado – tremendo ainda, horrorizado, sob o efeito do inexprimível caráter abominável da *Coisa* que havia olhado para ele através da janela da Casa.

Era uma Coisa incrível e completamente horrível, uma Coisa tão vil e odiosa que sua mera lembrança fazia-o se sentir mal. E ele sabia que a mais impronunciável e terrível vileza daquilo tudo era a presença dessa criatura dentro da Casa... a Casa da Beleza.

Porque o horror era inevitável onde aquela Coisa vivia – um horror crescente, que arruinava paz e a serenidade que eram as marcas registradas da Casa. A beleza, a maravilhosa e imortal beleza da Casa, estava para sempre perdida, pois dentro de suas paredes, bentas e consagradas, residia aquela Sombra de uma Coisa Impura!

Se tivesse que voltar a sonhar com a Casa, Segrave sabia que acordaria de imediato, tomado de terror, receoso de que por trás da beleza branca, a Coisa, de súbito, viesse espreitá-lo.

Na noite seguinte, ao deixar o escritório, seguiu direto para a casa de Wetterman. Precisava ver Allegra Kerr. Maisie lhe diria onde poderia encontrá-la.

Sequer percebeu a luz de entusiasmo que correu pelos olhos de Maisie assim que ele apareceu, e ela se apressou para cumprimentá-lo. Sem perder tempo, com a mão dela ainda na sua, disparou seu pedido.

– A senhorita Kerr. Encontrei-a ontem, mas não sei onde ela está hospedada.

Também não sentiu a mão de Maisie amolecer enquanto a retirava da sua. A repentina frieza de sua voz não lhe significou nada.

– Allegra está aqui. Está hospedada conosco. Mas temo que você não possa vê-la.

– Mas...

– Olhe, ela perdeu a mãe esta manhã. Há pouco soubemos da notícia.

– Oh! – Ele recuou.

– É realmente muito triste – disse Maisie. Hesitou por um minuto, depois continuou. – Veja bem, ela morreu... morreu num asilo. Há casos de insanidade na família. O avô se deu um tiro na cabeça, uma das tias de Allegra sofre de cretinismo incurável e outra se afogou.

John Segrave deixou escapar um som inarticulado.

– Senti-me na obrigação de lhe dizer tudo isso – disse Maisie, num tom virtuoso. – Afinal, somos amigos, não é? E claro que Allegra é muito atraente. Muitos já a pediram em casamento, mas naturalmente ela rejeita as propostas... Como poderia se casar, não é mesmo?

– Ela é normal – disse Segrave. – Não há nada de errado com *ela*.

Sua voz soou um pouco áspera e artificial aos seus próprios ouvidos.

– Ninguém pode garantir; a mãe dela era bastante normal quando jovem. E a loucura de que sofria não era, como dizer, do tipo excêntrico. Era a loucura em toda sua ferocidade. Uma coisa terrível, a insanidade.

– Sim – ele disse –, é mesmo uma Coisa terrível...

Agora ele sabia o que era aquilo que olhava para ele através da janela da Casa.

– Vim realmente apenas para me despedir... e também para lhe agradecer por toda sua gentileza.

– Você está mesmo partindo?

Havia alarme em sua voz.

Ele sorriu de leve para ela – um sorriso torto, patético e atraente.

– Sim – ele disse. – Para a África.

– África!

Maisie fez eco à palavra sem qualquer expressão. Antes que pudesse se recuperar, ele já havia lhe apertado a mão e partido. Foi deixada ali de pé, as mãos crispadas ao lado do corpo, uma pequena mancha vermelha provocada pela fúria em cada uma das faces.

Lá embaixo, junto à porta, John Segrave cruzou com Allegra que vinha da rua. Ela estava trajando negro, o rosto lívido e sem vida. Lançou-lhe um olhar e o conduziu até um vestíbulo.

– Maisie lhe contou – ela disse. – Já sabe de *tudo*?

Ele assentiu com a cabeça.

– Mas o que importa isso, afinal? *Você* está bem. Isso... isso deixa algumas pessoas de fora.

Ela o olhou de modo sombrio, lutuosamente.

– Você *está* bem – ele repetiu.

– Não sei – ela disse, quase num suspiro. – Não sei. Já lhe falei... sobre meus sonhos. E quando eu toco... quando toco piano... *esses outros* aparecem e tomam controle de minhas mãos.

Ele a encarava, paralisado. Por um instante, enquanto ela falava, alguma coisa olhou através dos olhos dela. Desapareceu de imediato – mas ele sabia. Tratava-se da Coisa que tinha olhado para ele de dentro da Casa.

Ela percebeu seu recuo momentâneo.

– Agora você entende – ela sussurrou. – Mas preferia que Maisie não lhe tivesse dito nada. Isso leva tudo o que você tem.

– Tudo?

– Sim. Não sobrarão sequer os sonhos. Por ora... você jamais ousará sonhar outra vez com a Casa.

O sol da África Ocidental castigava, e o calor era intenso.

John Segrave continuava a se lamentar.

– Não consigo encontrá-la. Não consigo encontrá-la.

O pequeno médico inglês com a cabeça vermelha e o tremendo maxilar olhava zangado para seu paciente, daquele modo agressivo que tornara sua marca registrada.

– Ele sempre diz a mesma coisa. O que isso significa?

– Ele fala, pelo que sei, de uma casa, *monsieur* – disse a irmã de caridade da missão romana da Igreja católica, com sua voz suave e de dicção branda, enquanto ela também mirava o homem combalido.

– Uma casa, então? Bem, é preciso tirar essa ideia da cabeça dele, ou não poderemos recuperá-lo. É tudo fruto de sua imaginação. Segrave! Segrave!

A atenção que antes vagava se fixou. Os olhos pararam na face do médico, num sinal de reconhecimento.

– Escute, o senhor vai superar isso. Vou tirá-lo dessa. Mas é preciso parar de se preocupar com essa casa. Ela não vai fugir, não é verdade? Então pare de se incomodar com ela por um momento.

– Tudo bem. – Ele parecia obediente. – Suponho que ela não possa mesmo sair do lugar se nunca esteve lá.

– Claro que não! – O médico deixou vir sua risada mais faceira. – Em breve o senhor estará recuperado. – E de uma maneira brusca e intempestiva, ele partiu.

Segrave ficou ali estendido, pensando. A febre havia baixado por um momento, e ele podia raciocinar com clareza e lucidez. Ele *precisava* encontrar a Casa.

Por dez anos ele temera encontrá-la – o pensamento de que pudesse encontrá-la sem perceber lhe provocava grandes terrores. E então ele se lembrou que quando seus temores já estavam devidamente aplacados, certo dia *ela o* encontrou. Recuperou com nitidez o primeiro e angustiante terror que havia sentido, e depois o súbito e delicioso alívio. Porque, no fim das contas, a Casa estava vazia!

Vazia por completo e deliciosamente pacata. Era como a lembrança que tinha dela dez anos atrás. Ele não esquecera. Havia uma enorme carroça preta, de uma transportadora de móveis, afastando-se devagar da Casa. O último inquilino, claro, levava seus pertences. Ele se aproximou dos responsáveis pela carroça e falou com eles. Havia algo bastante sinistro sobre aquela caminhonete: era muito preta. Os cavalos também eram pretos, com crinas e rabos que se moviam livres; e os homens, sem exceção, trajavam roupas e luvas pretas. Tudo aquilo o fazia lembrar de outra coisa, algo de que ele havia esquecido.

Sim, ele estava certo. O último inquilino estava de mudança, já que seu contrato terminava. A Casa deveria ficar vazia no momento, até que o proprietário voltasse do exterior.

E, ao acordar, sentiu-se inundado pela pacata beleza da Casa vazia.

Um mês depois disso, recebeu uma carta de Masie (ela lhe escrevia, com perseverança, uma vez por mês). Nela ela lhe dizia que Allegra Kerr tinha morrido na mesma casa que a mãe, e lhe perguntou se não era uma notícia terrivelmente triste. Embora, claro, tivesse sido um alívio para a coitada.

Sim, de fato, era uma notícia das mais estranhas. Mais ainda depois daquele seu sonho. Ele ainda não o tinha compreendido por completo. Mas era estranho.

E o pior disso tudo foi que, depois desse acontecimento, jamais conseguiu encontrar a Casa outra vez. De alguma maneira, ele havia se esquecido do caminho.

A febre voltou a tomar conta de seu corpo. Debatia-se sem parar. Claro, ele havia se esquecido, a Casa ficava em um lugar elevado! Era preciso subir para chegar até lá. Mas era um trabalho dos diabos subir pelo despenhadeiro, um trabalho que fazia suar e dava calor. Para cima, para cima, para cima... Oh! Ele havia escorregado! Deveria recomeçar lá de baixo. Para cima, para cima, para cima. Passaram-se dias, semanas... ele não sabia se não tinha sido até mesmo um ano inteiro! E ele seguia subindo.

Certa vez, ele ouviu a voz do médico. Mas ele não podia parar de subir para escutá-la. Além disso, o médico lhe diria para parar de procurar a Casa. *Ele* acreditava se tratar de uma casa qualquer. Ele não sabia de nada.

Lembrou-se, de súbito, que era preciso manter a calma, muita calma. Não se podia encontrar a Casa a não ser que se estivesse muito calmo. Não fazia sentido procurar a Casa movido pela pressa ou alterado pela excitação.

Se ele pudesse ao menos se manter calmo! Mas estava tão quente! Quente? Estava era *frio*... sim, frio. Não se tratavam de desfiladeiros, mas sim de icebergs – gélidos e escarpados icebergs.

Estava tão cansado. Desistiria de sua busca – aquilo não fazia sentido. Ah! Ali estava uma alameda, sim, que era muito melhor, no fim das contas, do que icebergs. Como estava agradável e fresco naquela alameda verde e sombreada. E essas árvores – como são esplêndidas! Lembram... o que mesmo? Ele não podia lembrar, mas não tinha importância.

Ah! Ali estavam as flores. Todas douradas e azuis! Como eram adoráveis, e, ao mesmo tempo, estranhamente familiares. Então, através das árvores, revelou-se, lá adiante, um vislumbre da Casa, estendendo-se sobre a elevação. Como ela era linda. A alameda verde e as árvores e as flores não eram nada se comparadas à magnitude, à beleza da Casa que satisfazia todos os sentidos.

Apressou o passo. E pensar que ele jamais estivera do lado de dentro! Como isso havia sido uma grande estupidez da parte dele, ainda mais quando, por todo o tempo, levava a chave no bolso consigo!

E é claro que a beleza exterior em nada podia se comparar com a parte interna – principalmente agora que o Dono havia voltado do estrangeiro. Subiu os degraus em direção à porta principal.

Mãos fortes e cruéis o puxavam de volta! Elas o subjugavam, arrastando-o para lá e para cá, para frente e para trás.

O médico o chacoalhava, urrando em seu ouvido.

– Aguente firme, homem, aguente firme. Não se entregue. Não se entregue – Em seus olhos brilhava a fúria de alguém ao avistar um inimigo. Segrave se perguntava quem era o Inimigo. A irmã, em seu hábito preto, rezava. Aquilo também era estranho.

E tudo o que *ele* queria era que o deixassem sozinho. Para voltar para a Casa. A cada minuto a imagem da Casa se tornava mais difusa.

Isso, era certo, devia-se à força do médico. Ele não tinha forças suficientes para lutar contra o doutor. Se houvesse uma maneira...

Mas espere! Havia uma maneira... a maneira como os sonhos escapam no momento de despertar. Nenhuma força é capaz de *detê-los*: eles simplesmente deslizam. As mãos do médico não seriam capazes de segurá-lo se ele conseguisse deslizar... apenas deslizar!

Sim, era esse o caminho! As paredes brancas se tornaram mais uma vez visíveis, a voz do médico começou a desvanecer, suas mãos já quase não se faziam sentir. Agora ele sabia como os sonhos se divertem quando nos deixam apenas o seu deslizar!

Estava junto à porta da Casa. A adorável quietude estava inalterada. Enfiou a chave na fechadura e a torceu.

Teve que esperar apenas um momento para perceber em sua totalidade a inefável e perfeita e sublime completude da alegria.

Então... ele cruzou o Umbral.

O DEUS SOLITÁRIO

Ele ficava em uma estante do *British Museum*, sozinho e abandonado na companhia de divindades obviamente mais importantes. Espalhados ao redor das quatro paredes, esses grandes personagens pareciam, em sua totalidade, apresentar um claríssimo senso de sua própria superioridade. O pedestal de cada um deles trazia a devida informação sobre a terra e a raça que se orgulhara de havê-los possuído. Não havia dúvida quanto à sua posição, eram divindades importantes e reconhecidas como tais.

Apenas o pequeno deus no canto estava distante e apartado de sua companhia. Esculpido de modo grosseiro em pedra cinzenta, suas feições apagadas por completo pelo tempo e pela exposição, sentava-se ali de modo isolado, os cotovelos nos joelhos, a cabeça enterrada entre as mãos; um pequeno deus solitário em um país estranho.

Não havia qualquer legenda para dar conta da terra de onde ele viera. Encontrava-se, de fato, perdido, sem honra ou renome, uma figurinha patética muito longe de casa. Ninguém o percebia, ninguém parava para olhá-lo. Por que parariam? Era tão insignificante, um bloco de pedra cinzenta posto no canto do salão. Ao seu lado, à esquerda e à direita, havia dois deuses mexicanos, desgastados sutilmente pela ação do tempo, ídolos plácidos com as mãos entrelaçadas e bocas cruéis que se curvavam em um sorriso que mostrava, sem rodeios, seu desdém pela humanidade. Havia também um deusinho rotundo, arrogante ao extremo, com um punho fechado, que sofria, de forma evidente, de um a percepção dilatada de sua própria importância, mas os passantes, às vezes, paravam para olhá-lo, nem que fosse apenas para rir do contraste de sua pomposidade com a ridente indiferença de seus companheiros mexicanos.

E o pequeno deus perdido seguia ali sentado, sem esperanças, a cabeça afundada nas mãos, como estivera ao longo dos anos, até que um dia o impossível aconteceu, e ele encontrou... um adorador.

— Alguma carta para mim?

O porteiro do saguão tirou o pacote de cartas de um escaninho, lançou-lhes um olhar maligno e disse em uma voz inexpressiva:

– Nada para o senhor.

Frank Oliver suspirava ao caminhar outra vez para fora do clube. Não havia qualquer razão particular para que houvesse alguma carta para ele. Pouquíssimas pessoas lhe escreviam. Desde que tinha voltado de Burma na primavera, havia se tornado consciente de seu envelhecimento e de sua crescente solidão.

Frank Oliver era um homem de quarenta anos recém completados, e os últimos dezoitos anos de sua vida foram gastos em várias partes do globo, com breves licenças na Inglaterra. Agora que ele havia ido para a reserva e voltado para casa em definitivo, percebia pela primeira vez o quão sozinho ele estava no mundo.

É verdade que havia sua irmã Greta, casada com um clérigo de Yorkshire, sempre ocupado com as atividades paroquiais e com as obrigações de dar suporte a uma família com crianças pequenas. Greta sentia natural adoração por seu único irmão, mas, claro, também tinha muito pouco tempo para ele. Depois, havia o seu velho amigo

Tom Hurley. Tom tinha se casado com uma ótima garota, amável, radiante e querida, muito enérgica e prática, a quem Frank secretamente temia. Ela havia lhe dito que ele não devia virar um velho solteirão mal-humorado, e estava sempre lhe apresentando "ótimas garotas". Frank Oliver descobriu que nunca tinha nada a dizer a essas "ótimas garotas"; elas insistiam por algum tempo, mas acabavam desistindo, considerando-o um caso perdido.

Apesar disso, ele não era de todo antissocial. Sentia uma forte necessidade de companheirismo e simpatia e, desde que retornara à Inglaterra, tornara-se consciente de um progressivo estado de desânimo. Tinha ficado fora por muitos anos, sentia-se em descompasso com os novos tempos. Passava longos e desnorteados dias se perguntando o que faria de si mesmo *dali* para a frente.

Foi num desses dias que ele resolveu dar uma volta no British Museum. Estava interessado em curiosidades asiáticas e assim, por acaso, acabou descobrindo o deus solitário. Encantou-se à primeira vista. Encontrava ali alguma coisa que lhe era vagamente semelhante; ali também havia alguém que estava perdido e extraviado em uma terra estranha. Adquiriu o hábito de visitar com frequência o museu, apenas para olhar a pequena figura de pedra cinza, em seu ponto obscuro na prateleira superior.

"A sorte foi dura com o camaradinha", pensou. "É provável que alguma vez tenha sido o centro das atenções, coberto de oferendas e preces e tudo o mais."

Começou a desenvolver tamanho senso de propriedade sobre o seu pequeno amigo (aproximava-se, na realidade, de um verdadeiro senso de adoração) que se sentiu inclinado ao ressentimento quando descobriu que o deusinho havia conquistado mais alguém. *Ele* havia descoberto o deus solitário; mais ninguém, parecia-lhe, tinha o direito de interferir.

Mas após o primeiro lampejo de indignação, foi brigado a rir de si mesmo. Porque essa segunda adoradora não passava de uma criaturinha ridícula e patética, coberta por um casaco e uma saia pretos que já haviam conhecido os seus melhores dias. Era jovem, pouco mais de vinte anos, ele diria, de cabelos loiros e olhos azuis, e com um ar melancólico que fazia curvar sua boca.

O chapéu que ela usava tocou diretamente o seu senso de cavalheirismo. Ela havia, de modo evidente, o ajustado por conta própria, e havia tanta bravura naquela tentativa de parecer correta que tornava ainda mais patético seu fracasso. Tratava-se, óbvio, de uma dama, embora uma que tivesse sido atacada pela pobreza, e ele, de imediato, havia decidido para si mesmo que ela era uma governanta e que estava sozinha no mundo.

Logo ele descobriu que os seus dias de visita eram as terças e sextas, e que ela sempre chegava às dez horas, quase no momento de abertura do museu. A princípio, ele ficara desgostoso com sua intrusão, mas, pouco a pouco, aquilo foi se constituindo em um dos principais interesses de sua vida monótona. De fato, o objeto de adoração perdia seu lugar com rapidez para aquela que o adorava. Os dias em que ele não avistava a "Pequena Dama Solitária", como ele a chamava, eram vazios.

Talvez ela também estivesse igualmente interessada nele, embora se esforçasse para esconder o fato com estudada indiferença. Mas, aos poucos, um sentimento de camaradagem começou, aos poucos, a se estabelecer entre os dois, ainda que não tivessem trocado uma palavra sequer. A verdade era que o homem era muito tímido! Pensava consigo mesmo que era bem provável que ela ainda não o houvesse notado (argumento que alguma percepção interior desmentiu de imediato), que talvez ela considerasse uma grande impertinência uma abordagem sua, e que, por fim, ele não fazia a mais vaga ideia do que lhe dizer.

Mas o destino, ou talvez o pequeno deus, era gentil, e lhe enviou uma inspiração – ou o que ele considerou como tal. Com infinito deleite por sua astúcia, adquiriu um lenço feminino, uma pequena e frágil peça de cambraia e renda que ele tinha até medo de tocar, e, assim armado, seguiu-a depois que ela saiu, detendo-a na sala egípcia.

– Com licença: isto lhe pertence? – tentou falar com aparente indiferença, mas evidentemente fracassou.

A Dama Solitária o apanhou e fingiu examiná-lo com minuciosa atenção.

– Não, não é meu. – Ela o devolveu, e acrescentou, com o que ele sentiu, por culpa sua, tratar-se de um olhar suspeito: – É um lenço novinho em folha. Ainda está com o preço.

Mas não estava disposto a admitir que seu plano havia sido descoberto. Deu início a um fluxo que superava qualquer explicação plausível.

– Veja bem, apanhei-o debaixo daquela caixa enorme. Estava junto ao pé mais distante. – Obteve um grande alívio com sua explicação detalhada. – Assim, como a senhorita esteve parada por ali, pensei que o lenço pudesse lhe pertencer, de modo que vim devolvê-lo.

Ela voltou a repetir:

– Não, não é meu – e acrescentou, como se estivesse um pouco sem graça –, obrigada.

A conversa chegou a um constrangedor silêncio. A garota ficou por ali, ruborizada e embaraçada, seguramente indecisa sobre como se retirar com dignidade.

Ele fez um esforço desesperado para tirar vantagem da oportunidade.

– Eu... eu não sabia que havia mais alguém em Londres que se importava com nosso pequeno deus solitário até a senhorita aparecer.

Ela respondeu com avidez, esquecendo o recato:

– *Você* também o chama assim?

Certamente, se ela tivesse percebido que o tratara por *você*, não se ressentiria do fato. Ela havia sido levada pela simpatia, e o discreto "Claro!" com que ele respondera parecia a réplica mais natural do mundo.

Houve silêncio outra vez, mas dessa vez era um silêncio nascido da mútua compreensão.

Foi a Dama Solitária quem o rompeu, com uma súbita lembrança das formalidades. Pondo-se bastante ereta e com uma suposição quase ridícula de dignidade para uma pessoa daquele tamanho, observou de modo frio e enfático:

– Preciso ir agora. Tenha um bom dia. – E com uma leve e dura reverência de cabeça, afastou-se, tentando manter-se o mais aprumada possível.

Dentro de todos os padrões conhecidos, Frank Oliver deveria ter se sentido rejeitado, mas se trata de um lamentável sinal de seu rápido progresso rumo à depravação que ele apenas tenha murmurado para si mesmo: "Queridinha!".

Logo, porém, ele se arrependeu de sua impetuosidade. Pelos dez dias seguintes, sua pequena dama não retornou ao museu. Estava desesperado! Ele a afugentara! Ela jamais retornaria! Ele não passava de um bruto, um sujeito vil! Jamais voltariam a se ver!

Em sua aflição, percorria o British Museum ao longo de todo o dia. Ela poderia simplesmente ter trocado o horário de suas visitas. Em pouco tempo, conhecia de cor as salas adjacentes, tendo desenvolvido uma forte aversão às múmias. O vigia o observou com suspeita quando ele passou três horas ruminando sobre hieróglifos assírios, e a contemplação de infinitos vasos, das mais variadas épocas, quase o enlouqueceu de tédio.

Mas certo dia sua paciência foi recompensada. Ela retornou, mais rosada do que de costume, esforçando-se para parecer tranquila.

Ele a cumprimentou com alegre cordialidade.

– Bom dia. Faz séculos que a senhorita não aparece por aqui.

– Bom dia.

Deixou as palavras escaparem com uma frigidez atroz, e com frieza ignorou a última parte do que ele disse.

Mas ele estava desesperado.

– Escute! – ele a encarou de frente, com olhos suplicantes que irresistivelmente faziam-na lembrar de um cão, enorme e fiel. – Não podemos ser amigos? Vivo em completa solidão aqui em Londres... Estou sozinho no mundo, e acredito que este também seja o seu caso. Precisamos ser amigos. Além disso, nosso pequeno deus nos apresentou.

Ela parecia em dúvida, mas um pequeno sorriso se anunciava nos cantos de sua boca.

– Apresentou?

– Claro!

Era a segunda vez que ele usava essa forma bastante positiva de afirmação, e agora, como antes, não deixou de obter resultado, pois depois de alguns instantes a garota disse, à sua maneira um pouco majestática:

– Muito bem.

– Isso é esplêndido – ele respondeu de modo abrupto, mas havia algo em sua voz, em como ele havia dito aquilo, que fez a garota olhá-lo rapidamente com uma leve ponta de pena.

E assim começou a estranha amizade. Duas vezes por semana eles se encontravam, em frente ao altar do pequeno ídolo pagão. No começo, restringiram sua conversa a ele apenas. Servia, a um só tempo, de paliação e de desculpa para a amizade dos dois. A questão de sua origem era discutida à exaustão. O homem insistia em lhe atribuir a mais sanguinária das características. Pintava-o como um deus terrível e ameaçador em sua terra nativa, jamais saciado pelos sacrifícios humanos, cultuado de joelhos por seus seguidores, sempre temerosos e trementes. O contraste entre sua antiga grandeza e sua presente insignificância produzia, segundo o homem, todo o *pathos* da situação.

A Dama Solitária não compactuava em nada com essa teoria. Ele era, essencialmente, um deus pequeno e gentil, ela insistia. Duvidava de que um dia ele tivesse alguma vez sido muito poderoso. Se tivesse sido esse o caso, ela argumentava, não estaria agora perdido e sem amigos, e, de qualquer maneira, tratava-se de um deusinho muito simpático, e ela o amava, e odiava pensar nele ali sentado, dia após dia, com todas essas outras coisas horrendas e arrogantes a ridicularizá-lo, porque sim, podia-se ver que era isso que faziam! Depois dessa violenta explosão, a pequena dama chegou a ficar sem ar.

Exaurido o tópico, começaram naturalmente a falar de si mesmos. Ele descobriu que suas suposições estavam corretas. Ela trabalhava como governanta para uma família com filhos em Hampstead. Ele desenvolveu uma imediata antipatia por essas crianças; por Ted, que tinha cinco anos e que não era *perverso* de verdade, apenas travesso; pelos gêmeos, que seguiam no mesmo caminho, e por Molly, que não fazia nada do que lhe mandavam, mas que era tão adorável que não havia como ficar braba com ela!

— Essas crianças abusam de você — ele disse com indignação e num tom acusativo.

— Não abusam não — ela replicou, cheia de espírito. — Sou extremamente dura com eles.

— Ah, sim, só imagino — ele riu. Mas ela o fez se desculpar com humildade por seu ceticismo.

Ela era órfã, contou a ele, praticamente sozinha no mundo.

Aos poucos, ele a foi inteirando de algumas coisas de sua própria vida: de sua vida como oficial do exército, que havia sido aplicada e, por assim dizer, bem-sucedida; e de seu passatempo informal, que se tratava de gastar e arruinar metros e mais metros de tela.

– Claro, eu não tinha nenhuma ideia sobre o assunto – ele explicou. – Mas sempre me pareceu que eu poderia pintar algum dia. Meus esboços são bem decentes, mas eu queria poder pintar uma tela de verdade. Um camarada certa vez me disse que minha técnica não era má.

Ela se mostrou interessada, ansiosa por detalhes.

– Tenho certeza de que você pinta muito bem.

Ele balançou a cabeça.

– Não, eu tentei começar várias telas nos últimos tempos e as joguei fora de forma desesperada. Sempre pensei que, quando tivesse tempo, tudo daria certo. Eu vinha cultivado essa ideia por anos, mas agora, como para o resto das coisas, suponho, é tarde demais.

– Nunca é tarde demais... para começar – disse a pequena dama, com a veemente sinceridade de sua juventude.

Ele lhe sorriu.

– Você acha que não, criança? Para mim algumas coisas já tiveram seu tempo e agora é tarde demais.

E a pequena dama sorriu e o apelidou de Matusalém.

Começavam a se sentir curiosamente confortáveis no British Museum. O vigia, pesado e simpático, que patrulhava as galerias era um homem de tato e, assim que o casal aparecia, sentia que seu oneroso dever como vigia o requeria com urgência na sala contígua, destinada às peças assírias.

Certo dia, o homem deu um passo ousado. Convidou-a para um chá!

Inicialmente, ela se mostrou reservada:

– Não tenho tempo. Não tenho horário livre. Posso vir algumas manhãs porque as crianças têm aulas de francês.

– Bobagem – disse o homem. – Você poderia encontrar uma brecha dia desses. Mate uma tia ou um primo distante, algo assim, mas *venha*. Podemos ir até uma lojinha ABC aqui perto, e comprar uns pãezinhos doces para o chá! Tenho certeza que você deve adorar pãezinhos doces!

– Sim, os bem pequenos, com groselha!

– E com uma deliciosa cobertura de glacê...

– São tão fofinhos e gostosos...

– Há alguma coisa – disse Frank Oliver em tom solene – tão reconfortante num pãozinho doce!

Então ficou combinado, e a pequena governanta apareceu, usando uma dispendiosa rosa de estufa em seu cinto, em honra à ocasião.

Ele havia notado que nos últimos tempos ela andava extenuada, com um ar preocupado, e nessa tarde isso se tornou mais aparente do que nunca quando ela derramou o chá sobre o tampo de mármore da mesa.

– As crianças têm incomodado você? – ele perguntou, de modo solícito.

Ela negou com a cabeça. Nos últimos tempos, curiosamente, ela mostrava pouca inclinação para falar sobre as crianças.

– *Elas* estão bem. Nunca penso nelas.

– É mesmo?

Seu tom simpático parecia afligi-la de um modo injustificado.

– Sim, sim. O problema nunca são as crianças. Mas... mas, de fato, tenho me sentido muito sozinha. – O tom de sua voz era quase de súplica.

Ele disse com rapidez, tocado pela confissão:

– Sim, sim, minha menina. Eu sei... eu sei...

Depois de uma pausa de um minuto, ele observou num tom alegre:

– Você já percebeu que ainda não perguntou o meu nome?

Ela ergueu a mão em sinal de protesto.

– Por favor, não quero saber. E não pergunte o meu. Continuemos esses dois solitários, que se encontraram e se tornaram amigos. Isso torna tudo mais maravilhoso... e... também diferente.

Ele disse devagar e pensativo:

– Muito bem. Em um mundo diferente e solitário, seríamos duas pessoas que têm uma à outra.

Isso era um pouco distinto do modo como ela colocara a questão, e ela parecia ter dificuldade em dar continuidade à conversa. Em lugar disso, ela foi se curvando mais e mais sobre o prato, até que apenas o topo de seu chapéu estivesse visível.

– Trata-se de um belo chapéu – disse ele, tentando recuperar sua serenidade.

– Costurei-o eu mesma – ela informou com orgulho.

– Imaginei no momento em que o vi – ele respondeu, dizendo a coisa errada com faceira ignorância.

– Temo que não tenha ficado tão bem-acabado quanto eu pretendia!

– Acho que seu chapéu é perfeito e adorável – ele disse com respeito.

Mais uma vez o constrangimento voltou a se abater sobre os dois. Frank Oliver rompeu o silêncio com bravura.

– Pequena Dama, não pretendia lhe dizer isso ainda, mas não consigo mais segurar. Eu a amo. Quero ficar com você. Desde o primeiro instante em que a vi, com sua roupinha preta, eu me apaixonei por você. Minha querida, se duas pessoas solitárias estão juntas... bem... já não há mais solidão. E eu vou trabalhar, oh, se vou! Trabalharei e pintarei você! Eu sei que posso, sei que conseguirei. Oh! Minha pequena menina, não posso viver sem você. Não posso mesmo...

Sua pequena dama o olhava de uma maneira bastante fixa. Mas o que ela disse foi, sem dúvida, a última coisa que esperava que ela dissesse. De modo muito sóbrio e destacado, ela disse:

– Você *comprou* aquele lenço!

Ele estava surpreso com essa prova da perspicácia feminina, e ainda mais surpreso que ela trouxesse isso à tona naquele momento. Certamente, passado todo esse tempo, isso lhe poderia ser perdoado.

– Sim, eu o comprei – admitiu com humildade. – Eu precisava de uma desculpa para falar com você. Você está muito braba? – Esperou com docilidade por suas palavras de condenação.

– Achei que foi gentil da sua parte! – gritou a pequena dama com veemência. – Muito gentil! – a voz dela se encerrou de modo incerto.

Frank Oliver continuou, em seu tom brusco:

– Diga-me, criança, é possível nossa união? Sei que sou um tipo feio e envelhecido...

A Pequena Dama o interrompeu:

– Não, você não é! Não mexeria num traço seu. Amo-o como você é, entende? Não porque eu sinta pena de você, nem porque eu esteja sozinha nesse mundo e queira alguém que se apaixone por mim e que cuide de mim... mas porque você é apenas... *você*. Agora você entende?

– Isso é verdade? – ele perguntou, quase em um sussurro.

E ela respondeu com firmeza:

– Sim, é verdade... – O encanto da descoberta os dominou.

Por fim, ele disse, com afetação:

– Então estamos no paraíso, minha queridíssima!

– E numa lojinha ABC – ela respondeu, em uma voz que misturava o riso e as lágrimas.

Mas o paraíso terrestre dura pouco. A pequena dama se levantou de súbito com uma exclamação:

– Não faço a menor ideia de que horas sejam! Devo ir agora mesmo.

– Acompanho-a até em casa.

– Não, não, *não*!

Foi forçado a se dobrar diante de sua resistência, e apenas a acompanhou até a estação do metrô.

– Adeus, meu queridíssimo. – Ela apertou-lhe a mão com uma intensidade que ele guardaria depois na memória.

– Adeus somente até amanhã – ele respondeu com alegria. – Às dez, como sempre, e aí nos revelaremos nossos nomes e nossas histórias, e seremos práticos e prosaicos de uma maneira assustadora.

– Adeus ao... paraíso, digamos – ela sussurrou.

– Será sempre nosso, minha adorada!

Ela lhe sorriu de volta, mas com aquele mesmo triste apelo que o inquietava e que ele não conseguia penetrar. Então, o incansável elevador a arrastou para fora da visão.

* * *

Ele ficou estranhamente perturbado com aquelas últimas palavras ditas por ela, mas, de maneira resoluta, afastou essas ideias de sua mente e as substituiu pela radiante expectativa pelo dia seguinte.

Às dez horas ele estava lá, no lugar de sempre. Pela primeira vez pôde notar como os outros ídolos o olhavam de um modo perverso. Era quase como se estivessem de posse de um algum conhecimento maligno e secreto que pudesse afetá-lo, que eles deglutiam com uma satisfação odiosa. Sentia com desconforto o desafeto que lhe votavam.

A Pequena Dama estava atrasada. Por que ela não vinha? A atmosfera daquele lugar estava lhe dando nos nervos. Nunca o seu pequeno amigo (o deus *do casal*) parecera tão impotente e desesperançado como hoje. Um pedaço indefeso de pedra, abraçado ao seu próprio desespero!

Suas cogitações foram interrompidas por um pequeno menino, de rosto anguloso, que tinha se aproximado dele, e que o escrutinava com afinco dos pés a cabeça. Aparentemente satisfeito com o resultado de suas observações, ele lhe estendeu uma carta.

– Para mim?

Não havia qualquer informação no envelope. Ele o apanhou, e o menino magrinho se afastou com extraordinária rapidez.

Frank Oliver leu a carta devagar, sem poder acreditar em seus olhos. Era bastante curta.

Queridíssimo,
Jamais poderei me casar com você. Por favor, esqueça o dia em que entrei em sua vida, e tente me perdoar se por acaso o tiver magoado. Não tente me encontrar, pois isso só irá piorar as coisas. Isto é um verdadeiro "adeus".

A Dama Solitária

Havia um pós-escrito, evidentemente rabiscado no último momento:

Eu amo você de verdade. Do fundo do coração.

E aquele pós-escrito, breve e impulsivo, foi todo o conforto que ele teve nas semanas seguintes. Desnecessário dizer que não obedeceu à injunção de "não tentar encontrá-la", mas tudo em vão. Ela desaparecera por completo, e ele não dispunha de qualquer pista para tentar rastreá-la. Desesperado, ele publicou anúncios, implorando em termos velados para que ela desse ao menos uma explicação para tanto mistério, mas apenas o silêncio completo premiou seus esforços. Ela se fora, para nunca mais voltar.

E foi então que, pela primeira vez na sua vida, começou realmente a pintar. Sua técnica sempre tinha sido boa. Agora habilidade e inspiração andavam de mãos dadas.

A tela que lhe trouxera fama e renome acabou sendo aceita e pendurada na Academia, e estava cotada para ser *a* pintura do ano, não menos pelo excelente tratamento do tema que pela maestria dos traços e técnica utilizados. Uma certa dose de mistério também tornava-a mais interessante ao público geral.

Sua inspiração tinha vindo quase por acaso. Um conto de fadas em uma revista havia se apossado de sua imaginação.

Tratava-se da história de uma Princesa afortunada, que sempre tivera tudo aquilo que desejara. Se fizesse um pedido? Lá estava ele realizado. Um desejo? Cumprido. Tinha pai e mãe dedicados, grandes riquezas, belas roupas e joias, escravos sempre à espera, prontos para atender ao menor de seus caprichos, damas de companhia prontas para alegrá-la, tudo para satisfazer qualquer vontade do coração da Princesa. Os Príncipes mais belos e prósperos vinham lhe fazer a corte e suplicavam em vão para que os desposasse, dispostos a matar quantos dragões fossem necessários como prova de verdadeira devoção. E ainda assim, a solidão da Princesa era maior do que a do mais pobre dos pedintes em todo o reino.

Suspendeu a leitura. O destino da Princesa já não lhe interessava mais. Uma imagem havia se erguido à sua frente: a Princesa coberta de luxos com a alma triste e solitária, empanturrada de felicidade, sufocada pela luxúria, definhando no Palácio da Abundância.

Começou a pintar tomado de uma furiosa energia. O feroz prazer da criação o possuiu por completo.

Representou a Princesa cercada por sua corte, reclinada em um divã. Uma profusão de cores orientais impregnava a pintura. A Princesa trajava um maravilhoso vestido com bordados de cores estranhas; seu cabelo loiro a envolvia, e na cabeça havia uma tiara cravejada de pedras preciosas. As damas de companhia a circundavam, e Príncipes se ajoelhavam aos seus pés, depondo os mais dispendiosos presentes.

Mas o rosto da Princesa se voltava para o outro lado, não tomava consciência das risadas e da alegria ao seu redor. Seu olhar estava fixado em um canto escuro e sombrio, onde estava um objeto à primeira vista incongruente: um pequeno ídolo de pedra cinza, com a cabeça enterrada em uma das mãos, em um curioso e desesperado abandono.

Aquilo era mesmo tão incongruente? Os olhos da jovem Princesa pousavam sobre o objeto com estranha simpatia, como se o crescente senso de próprio isolamento que ela sentia atraísse, de modo irresistível, o seu olhar. Eram semelhantes, esses dois. Ela trazia o mundo inteiro a seus pés – mas ainda assim estava sozinha: uma Princesa Solitária olhando para um pequeno deus solitário.

Londres inteira falava sobre o esse quadro, e Greta escreveu algumas palavras de congratulação de Yorkshire, e a esposa de Tom Hurley implorou para que Frank Oliver fosse "passar um fim de semana com eles e conhecer uma garota adorável, uma grande admiradora de seu trabalho". Frank Oliver deu uma risada sardônica e lançou a carta às chamas. O sucesso havia chegado – mas de que lhe servia? Queria apenas uma coisa: aquela pequena dama que sumira de sua vida para sempre.

Era o dia da Copa Ascot*, e o vigia encarregado de certa seção do British Museum esfregou os olhos e se perguntou se não estava sonhando, porque ninguém espera enxergar uma mulher que deveria estar em Ascot por sua elegância, por seu maravilhoso chapéu de laço,

---
* Tradicional corrida de cavalos na Inglaterra. (N.T.)

uma verdadeira ninfa, como que imaginada por um desses gênios parisienses. O vigia a admirava com entusiasmo.

O deus solitário talvez não estivesse tão surpreso. Ele deve ter sido, à sua maneira, um deusinho bastante poderoso. De todo modo, lá estava uma adoradora que retornava ao rebanho.

A Pequena Dama Solitária olhava-o fixamente, e seus lábios se moviam em um rápido sussurrar.

– Meu querido deusinho, oh, meu querido deusinho, por favor, me ajude!

Talvez o pequeno deus estivesse lisonjeado. Talvez, se fosse mesmo aquela divindade feroz e implacável imaginada por Frank Oliver, os longos e desgastantes anos da marcha da civilização tivessem amolecido seu gelado coração de pedra. Talvez a Dama Solitária estivesse certa desde o início, e ele se tratasse mesmo de um deusinho gentil. Talvez tudo não fosse mais do que mera coincidência. Como quer que seja, foi naquele momento que Frank Oliver entrou devagar e triste na peça, vindo da seção assíria.

Ergueu a cabeça e avistou a ninfa parisiense.

No momento seguinte o braço dele já a envolvia, e ela gaguejava, pronunciando palavras rápidas e entrecortadas.

– Eu me sentia tão sozinha... *você* sabe, você deve ter lido a história que eu escrevi; não poderia ter pintado aquele quadro sem ter lido, e mais, compreendido. A Princesa era eu; eu tinha tudo, mas ainda assim me sentia mais solitária do que as palavras podem expressar. Certo dia, estava indo até uma adivinha, para ler minha sorte, e peguei emprestadas as roupas da minha criada. Vim até aqui e o vi olhando para o pequeno deus. Foi assim que tudo começou. Eu fingi... oh! Que gesto mais odioso esse meu, e segui com a encenação, até um ponto em que já não tinha coragem de lhe confessar que só lhe dissera as mais deslavadas mentiras. Pensei que você fosse ficar enojado comigo pelo modo como o enganei. Não podia suportar a ideia de que você descobrisse, então decidi me afastar. Então escrevi aquela história, e ontem eu vi o seu quadro. Era *sua* aquela pintura, não é?

Apenas os deuses conhecem o verdadeiro significado da palavra "ingratidão". É possível presumir que o pequeno deus solitário conhecesse a negra ingratidão da natureza humana. Por ser uma divindade, estava em uma posição privilegiada para observá-la. Ainda assim, na hora do juízo, ele, que tivera inúmeros sacrifícios oferecidos em sua honra, resolveu se sacrificar. Sacrificou seus únicos dois seguidores numa terra estranha, e aquilo lhe pareceu o ato de um grande pequeno deus, uma vez que havia sacrificado tudo o que possuía.

Através das fissuras entre seus dedos, assistiu os dois se afastarem, mãos dadas, sem nem olharem para trás, duas pessoas felizes, que haviam encontrado o paraíso e já não tinham mais necessidade dele.

O que era ele, afinal, se não um pequeno deus, extremamente solitário, em uma terra estrangeira?

O OURO DE MANX

Prefácio

"O ouro de Manx" não se trata de uma história comum de detetive; de fato, é provável que ela seja única. Os detetives são bastante convencionais, e ainda que sejam confrontados com um crime particularmente brutal, a identidade do assassino não é a sua maior preocupação. Estão mais interessados em desvendar uma série de pistas que levam à localização de um tesouro escondido, um tesouro cuja existência não se confina à página impressa. Por razões de clareza, algumas explicações são necessárias...

No inverno de 1929, Alderman Arthur B. Crookall teve uma ideia. Crookall era o diretor da June Effort, um comitê responsável por incentivar o turismo na Isle of Man, uma pequena ilha afastada, a noroeste da costa da Inglaterra. Sua ideia era de que poderia haver uma caça ao tesouro, inspirada pelas muitas lendas dos contrabandistas de Manx e suas havia muito esquecidas hordas de saqueadores. Haveria, então, um tesouro "de verdade" escondido na ilha, e as pistas de sua localização estariam emolduradas por uma história de detetive. Algumas restrições foram levantadas por membros do comitê, mas finalmente se deu início ao planejamento para "A caça ao tesouro na *Isle of Man*", que deveria acontecer no início da temporada de férias, em conjunto com uma série de outros eventos anuais, como a "Coroação da rainha Rose" e a corrida noturna de iates.

Mas Crookhall precisava encontrar alguém para escrever a história, na qual estaria baseada a corrida ao tesouro. Quem melhor do que Agatha Christie? Talvez de forma surpreendente, e mediante o pagamento de apenas sessenta libras, Christie aceitou a incumbência, sua comissão mais incomum. Visitou a *Isle of Man* no fim do mês de abril de 1930, hospedando-se como convidada na casa do tenente-governador, antes de retornar a Devon, onde sua filha estava doente. Durante sua visita, Christie e Crookhall passaram muitos dias discutindo a caça ao tesouro, percorrendo vários locais a fim de decidir onde o tesouro deveria ser escondido e como as pistas seriam compostas.

A história resultante, "O ouro de Manx", foi publicada em cinco partes nos últimos dias de maio no *Daily Dispatch*, um jornal de Manchester. Um quarto de milhão de cópias também foram distribuídas em formato de livreto para os hóspedes e hotéis ao longo da ilha. As cinco pistas foram publicadas separadamente, e, à medida que se aproximava a data de publicação da primeira parte no *Dispatch*, o comitê do June Effort solicitou a todos que "cooperassem com o objetivo de obter a maior publicidade possível" para a caçada. Mais turistas representava mais receita com turismo, e a caçada acabou atraindo também a atenção de centenas de "nativos" que haviam emigrado da ilha para os Estados Unidos e deveriam retornar em junho como convidados de honra. Nas palavras do anúncio da época, era "uma oportunidade para todos os detetives amadores testarem suas habilidades!"

Na história, Juan Faraker e Fenella Mylecharane vão em busca de quatro arcas do tesouro, que foram escondidas na ilha por seu excêntrico tio Myles. Para competir com Juan e Fenella, o leitor era aconselhado – como eles – a se equipar de "uma variedade de ótimos mapas... vários guias descritivos da ilha... um livro sobre folclore (e) um livro sobre a história da ilha".

As soluções para as pistas são dadas ao fim da história.

*O velho Mylecharane vivia de ajuda do governo
onde a colina Jurby no descampado ia terminar
sua granja era toda dourada, mas só das margaridas
   [e do tojo
sua filha era bela de se admirar.*

*"Ó pai, eles dizem que o senhor tem muito ouro,
mas escondido em algum lugar sem nome.
Não vejo nenhum ouro, mas só o brilho do tojo;
Então o que o senhor fez com ele, homem?"*

*"Meu ouro está trancado num cofre de carvalho,
Que deixei cair na maré e ela o enterrou um tanto,
E lá ele está, preso como a âncora segura de um
   [barco,
Brilhante e tão protegido como num banco."*

– Gostei dessa canção – eu disse, com apreço, quando Fenella terminou.
– E deveria – disse Fenella. – É sobre os nossos ancestrais, os seus e os meus. O avô do tio Myles. Fez fortuna com o contrabando e a escondeu em algum lugar, e ninguém jamais descobriu onde.

Genealogia é o ponto forte de Fenella. Interessa-se por todos os seus antepassados. Minhas propensões são estritamente modernas. O presente difícil e o futuro incerto absorvem todas as minhas energias. Mas gosto de ouvir Fenella cantar as antigas baladas de Manx.

Fenella é encantadora. É minha prima em primeiro grau e também, de quando em quando, minha noiva. Quando o otimismo financeiro nos contamina, somos prometidos. Quando uma correspondente maré de pessimismo nos assola e percebemos que não poderemos casar senão em dez anos, terminamos tudo.

– Ninguém nunca tentou encontrar o tesouro? – perguntei.

– Claro. Mas nunca encontraram.

– Talvez eles não tenham procurado de modo científico.

– Tio Myles tentou com extremo vigor – disse Fenella. – Dizia a todos que com inteligência seria capaz de resolver um probleminha como esse.

Aquilo me pareceu bem coisa do tio Myles, um velho cavalheiro, excêntrico e caprichoso, que vivia na *Isle of Man* e que tinha especial predileção por esse tipo de pronunciamento didático.

Foi naquele momento que chegou o correio – e uma carta!

– Por Deus – gritou Fenella. – Falando no diabo, quero dizer, anjo, está aqui a notícia: o tio Myles morreu!

Tanto eu como ela havíamos visto nosso parente excêntrico apenas em duas ocasiões, o que impedia que qualquer um de nós tivesse que fingir uma dor muito profunda. A carta era de uma firma de advogados em Douglas*, e nos informava que segundo o testamento de sr. Myles Mylecharane, falecido, Fenella e eu herdávamos sua propriedade, que consistia de uma casa perto de Douglas e de uma infinitesimal fonte de renda. Dentro da carta, havia outro envelope fechado que por instrução do sr. Mylecharane deveria ser entregue, após sua morte, diretamente a Fenella. Abrimos a segunda carta e lemos com surpresa o seu conteúdo. Reproduzo-o por completo, pois se trata de um documento bastante característico.

> *Caros Fenella e Juan – pois suponho que onde está um estará o outro! Ou assim dizem as más-línguas.*

---

* Capital de *Isle of Man*. (N.T.)

Vocês devem estar lembrados de me ouvir dizer que qualquer um com um pouquinho de inteligência poderia facilmente descobrir onde estava escondido o tesouro do adorável sem-vergonha do meu avô. Usei da tal inteligência – e minha recompensa foram quatro arcas cheias de ouro – quase como num conto de fadas, não é verdade?

Tenho apenas quatro parentes vivos: vocês dois, meu sobrinho Ewan Corjeag, de quem sempre escutei as piores coisas, e um primo, um tal de Doutor Fayll, de quem pouco ouvi falar, e o que ouvi não era lá uma maravilha.

Deixo minha propriedade para você e Fenella, mas sinto uma certa obrigação sobre minhas costas no que diz respeito a esse "tesouro" que se incorporou ao meu lote somente graças à minha própria engenhosidade. Meu adorável ancestral não ficaria, acho, nem um pouco satisfeito se eu o passasse adiante de modo tão simples, como seria no caso da herança. Assim, resolvi, por minha vez, criar um pequeno problema.

Existem ainda quatro "arcas" do tesouro (embora estejam organizadas de maneira mais moderna, nada de moedas e linguetas de ouro) e haverá quatro competidores: meus quatro parentes vivos. Seria mais justo destinar uma arca para cada um – mas o mundo, minhas crianças, não é justo. A corrida é para o mais rápido... e normalmente para o mais inescrupuloso!

Quem sou eu para ir contra a natureza? Vocês devem dar o melhor de si para bater os outros dois. Haverá, temo dizer, pouca chance para vocês. A bondade e a inocência raramente são recompensadas neste mundo. Acredito nisso com tanta força que trapaceei de modo deliberado (uma injustiça, como podem ver!). Esta carta chegará às suas mãos 24 horas antes que as cartas dos outros dois. Assim, vocês terão uma ótima chance de assegurar o primeiro "tesouro": uma vantagem de 24 horas, se vocês tiverem alguma coisa na cachola, deverá ser suficiente.

As pistas para encontrar esse tesouro deverão ser encontradas na minha casa em Douglas. As pistas para o segundo "tesouro" não serão reveladas até que o primeiro tesouro seja encontrado. No segundo caso e nos seguintes, portanto, vocês todos começam com as mesmas condições. Deixo-lhes o meu desejo de sucesso, e nada me alegraria mais do que saber que vocês ficaram com as quatro "arcas", mas, pelas razões antes expressas, acho isso pouco provável. Lembrem-se que nenhum escrúpulo ficará no caminho de nosso querido Ewan. Não cometam o erro de confiar um só instante nele. Quanto ao dr. Richard Fayll, sei pouco sobre ele, mas se trata, posso supor, de um azarão.

Boa sorte aos dois, mas com pouca fé no seu sucesso,

Do tio carinhoso,
Myles Mylecharane

Ao chegarmos à assinatura, Fenella deu um salto ao meu lado.

– O que foi? – gritei.

Fenella manuseava com rapidez as páginas de um guia.

– Precisamos chegar a *Isle of Man* o quanto antes – ela gritou. – Como ele ousa nos chamar de bondosos, inocentes e estúpidos? Vou mostrar a ele! Juan, vamos encontrar as quatro "arcas" e casar e viver uma vida feliz depois disso, com Rolls-Royces e lacaios e banheiros de mármore. Mas *precisamos* chegar de uma vez a *Isle of Man*.

* * *

Vinte e quatro horas se passaram. Chegamos em Douglas, falamos com os advogados e estávamos agora em Maughold House, na presença da sra. Skillicorn, a última ama de nosso tio, uma mulher de alguma maneira impiedosa, mas que, apesar disso, mostrou-se sensível ao ardor de Fenella.

– Ele fazia as coisas de um jeito estranho – ela disse. – Gostava de deixar todo mundo confuso e tramando coisas.

– Mas e as pistas? – clamou Fenella. – Onde estão as pistas?

De maneira deliberada, como fazia tudo, a sra. Skillicorn deixou a sala. Retornou após uma ausência de alguns minutos, trazendo um pedaço dobrado de papel.

Desdobramo-lo com ansiedade. A nota continha um poeminha, escrito à mão por meu tio, com uma letra quase incompreensível.

Quatro pontos cardeais devem existir
 S e O, N e L.
Os ventos do leste para homem e animal são ruins.
 Siga para sul e oeste e
 Norte não leste.

– Oh! – disse Fenella, inexpressiva.

– Oh! – eu disse, quase com a mesma entonação.

A sra. Skillicorn riu da gente com um prazer macabro.

– Não faz muito sentido, não é? – ela disse, querendo ajudar.

– Isto aqui... Não sei nem por onde começar – disse Fenella, lastimosa.

– Começar – eu disse, com um entusiasmo que não sentia – é sempre difícil. Uma vez que engrenarmos...

A sra. Skillicorn sorriu com mais escárnio do que nunca. Era uma mulher deprimente.

– A senhora pode nos ajudar? – perguntou Fenella, em um tom adulador.

– Não sei nada sobre esse assunto tolo. Seu tio não confiava em mim, não mesmo. Disse para ele colocar o dinheiro no banco e parar com essa bobagem. Nunca soube no que ele estava metido.

– A senhora nunca o viu sair com arcas... ou alguma coisa do tipo?

– Nunca vi nada disso.

– Não tem ideia se ele inventou essa história toda recentemente ou há muito tempo?

A sra. Skillicorn balançou a cabeça.

– Bem – eu disse, tentando apressar as coisas. – Há duas possibilidades. Ou o tesouro está escondido aqui, na propriedade, ou em algum outro lugar da ilha. Tudo depende do volume, é claro.

O relâmpago de um pensamento cruzou a mente de Fenella.

– A senhora não deu pela falta de nada? – ela perguntou. – Quero dizer, entre as coisas do meu tio.

– Veja só, agora me ocorre, é estranho que a senhorita tenha mencionado isso...

– Então a senhora percebeu alguma coisa faltando?

– Como eu disse, é estranho que a senhorita tenha mencionado isso. Tabaqueiras... Há pelo menos quatro delas que não consigo encontrar.

– Quatro delas! – gritou Fenella. – Só pode ser isso! Estamos seguindo a pista certa. Vamos dar uma circulada no jardim.

– Não há nada por lá – disse a sra. Skillicorn. – Eu saberia se estivessem por lá. Seu tio não poderia ter enterrado nada no jardim sem que eu percebesse.

– Foram mencionados pontos cardeais – eu disse. – A primeira coisa que temos de olhar é o mapa da ilha.

– Há um sobre aquela mesa – disse a sra. Skillicorn.

Fenella o desdobrou com ansiedade. Alguma coisa saiu voando quando ela o abriu. Eu a apanhei.

– A-há – eu disse. – Isso parece ser mais uma pista.
Nós dois nos lançamos com afã sobre o achado.

* * *

Parecia se tratar de um tipo rude de mapa. Nele havia uma cruz, um círculo e uma flecha, e as direções estavam marcadas de um modo tosco, mas parecia de pouca utilidade. Estudamos as indicações em silêncio.

– Não parece muito esclarecedor, não é? – perguntou Fenella.

– Naturalmente é preciso decifrar os elementos – eu disse. – Seria esperar demais que estivesse ao alcance dos olhos.

A sra. Skillicorn nos interrompeu com uma sugestão de janta, que nós aceitamos com gratidão.

– E a senhora poderia fazer café para nós? – perguntou Fenella. – Bastante café... bem preto.

A sra. Skillicorn nos proporcionou uma refeição excelente, e, ao final dela, uma enorme cafeteira apareceu.

– E agora – disse Fenella –, precisamos desvendar o mistério.

– A primeira coisa – eu disse – é a direção. Isto aqui parece apontar claramente para a parte nordeste da ilha.

– É o que parece. Vamos dar uma olhada no mapa.

Estudamos o mapa com atenção.

– Tudo depende de como você encara a coisa – disse Fenella. – Será que a cruz representa o tesouro? Ou é algo como uma igreja? Deveria haver algumas regras!

– Isso seria muito fácil.

– Suponho que sim. Por que há pequenas linhas num dos lados do círculo e não há no outro?

– Não faço ideia.

– Será que não há mais mapas espalhados por aí?

Estávamos sentados na biblioteca. Havia uma série de excelentes mapas. Havia também vários guias da região que descreviam a ilha. Havia um livro sobre folclore. Havia um livro sobre a história da ilha. Lemos todos eles.

Até que, por fim, formamos uma possível teoria.

– Parecem se encaixar – disse Fenella afinal. – Digo, os dois juntos parecem formar uma conjunção que não parece ocorrer em nenhum outro lugar.

– Vale a pena tentar – eu disse. – Não creio que possamos fazer mais nada esta noite. A primeira coisa que faremos amanhã de manhã é alugar um carro e tentar a sorte.

– Já é amanhã – disse Fenella. – Já passam das duas! Imagine só!

O início da manhã já nos pegou na estrada. Havíamos alugado um carro para a semana inteira, que nós mesmos iríamos dirigir. O ânimo de Fenella aumentava à medida que avançávamos pela estrada, de ótima qualidade, quilômetro após quilômetro.

– Não fosse pelos outros dois, como isso seria divertido – ela disse. – Era aqui que se disputava o Derby em suas origens, certo? Antes de ser transferido para Epsom. Que engraçado pensar numa coisa dessas!

Chamei sua atenção para uma casa de fazenda.

– Deve ser ali que dizem existir uma passagem secreta que corre por debaixo do mar até aquela ilha.

– Que divertido! Adoro passagens secretas, e você? Oh! Juan, estamos chegando perto agora. Estou terrivelmente eufórica. Tomara que estejamos certos!

Cinco minutos depois, saímos do carro.

– Tudo está na posição certa – disse Fenella com a voz trêmula.

Seguimos caminhando.

– Seis para cá... está certo. Agora entre esses dois. A bússola confirma a localização?

Cinco minutos mais tarde, estávamos parados, encarando um ao outro, nossos rostos estampando uma felicidade inacreditável... e na palma de minha mão estendida estava uma antiga tabaqueira.

Havíamos sido bem-sucedidos!

* * *

Ao retornarmos para Maughold House, a sra. Skillicorn veio ao nosso encontro com a informação de que dois cavalheiros haviam chegado. Um havia partido outra vez, mas o outro estava na biblioteca.

Um homem alto, bem-apessoado, com um rosto avermelhado, ergueu-se sorridente de uma poltrona assim que entramos na sala.

– Sr. Faraker e srta. Mylecharane? Encantado em conhecê-los. Sou o seu primo distante, dr. Fayll. Divertido esse jogo, não é mesmo?

Seus modos eram urbanos e agradáveis, mas antipatizei de imediato com ele. Senti que, de alguma maneira, o homem era perigoso. Seu jeito agradável de ser era, de certo modo, exagerado, e os olhos dele jamais se fixavam nos seus com franqueza.

– Lamento, mas temos más notícias para o senhor – eu disse. A srta. Mylecharane e eu já descobrimos o primeiro "tesouro".

Ele recebeu bem a informação.

– Uma pena... uma pena. Os correios daqui devem ser estranhos. Vim direto de Barford para cá.

Não ousamos confessar a perfídia do tio Myles.

– De qualquer maneira, todos começaremos em condições iguais a busca do segundo – disse Fenella.

– Ótimo. Que tal darmos uma olhada nas pistas agora mesmo? A excelente senhorita... como é mesmo... Skillicorn está com elas, suponho?

– Isso não seria justo com o sr. Corjeag – disse Fenella, com rapidez. – Devemos esperar por ele.

– É verdade, é verdade... já ia me esquecendo. Devemos entrar em contato com ele o mais rápido possível.

Deixem que eu cuide disso... os dois devem estar muito cansados e necessitando de repouso.

Em seguida, ele partiu. Ewan Corjeag deveria ser surpreendentemente difícil de encontrar, pois foi só às onze da noite o dr. Fayall voltou a entrar em contato. Sugeria que ele e Ewan fossem a Maughold House às dez horas da manhã seguinte, quando a sra. Skillicorn, então, passaria as pistas para todo mundo.

– Esplêndido – disse Fenella. – Amanhã às dez horas.

Fomos para a cama, cansados, mas felizes.

Na manhã seguinte, fomos acordados pela sra. Skillicorn, completamente sacudida de sua aura de calmo pessimismo.

– Adivinhem o que aconteceu? – ela perguntou, ofegante. – A casa foi invadida.

– Ladrões? – exclamei com incredulidade. – Levaram alguma coisa?

– Nada... e isso é o mais estranho! Não há dúvida de que estavam atrás da prataria... mas com a porta trancada pelo lado de fora, eles não teriam como ir longe.

Fenella e eu a acompanhamos até o local do arrombamento, a sala contígua ao quarto dela. A janela trazia marcas incontestes de que tinha sido forçada, embora tudo parecesse estar no lugar. Isso tornava o evento ainda mais curioso.

– Não consigo imaginar o que eles estavam procurando – disse Fenella.

– Se ainda houvesse uma "arca do tesouro" escondida dentro da casa – concordei com bom humor. De súbito, uma ideia cruzou minha mente. Voltei-me para a sra. Skillicorn.

– As pistas... as pistas que a senhora ia nos dar essa manhã?

– Estão na gaveta de cima do aparador. – Ela foi até o móvel. – O quê? Como... não tem nada aqui! As pistas se foram!

– Não eram ladrões – eu disse. – Nossos estimados parentes! – E me lembrei da advertência do tio Myles sobre a falta de escrúpulos dos competidores. Certamente ele sabia sobre o que estava falando. Um golpe sujo!

– Depressa – disse Fenella de repente, erguendo um dedo. – O que é isso?

O som que ela havia percebido ecoou de modo distinto para nossos ouvidos. Era um gemido e vinha do lado de fora. Fomos até a janela e nos inclinamos. Havia arbustos desde lado da casa, que cresciam rentes à construção, de modo que não conseguimos avistar nada; mas voltamos a escutar o gemido e pudemos notar que os arbustos pareciam ter sido mexidos e pisoteados.

Descemos apressados e contornamos a casa. A primeira coisa que encontramos foi uma escada caída, revelando como os invasores tinham alcançado a janela. Mais alguns passos e chegamos ao local onde havia um homem tombado.

Era um homem jovem, moreno, e estava, sem sombra de dúvidas, seriamente machucado, pois sua cabeça estava imersa em uma poça de sangue. Ajoelhei-me ao seu lado.

– Precisamos chamar um médico urgente. Acho que ele está morrendo.

O jardineiro foi mandando às pressas. Enfiei minha mão no bolso do peito e retirei dali um caderninho. Nele estavam as iniciais E. C.

– Ewan Corjeag – disse Fenella.

Os olhos do homem se abriram. Ele disse num fio de voz:

– Caí da escada... – e então voltou a perder a consciência.

Junto à sua cabeça estava uma pedra grande, manchada de sangue.

– Parece bastante claro – eu disse. – A escada deslizou e ele caiu, batendo a cabeça nesta pedra. Acho que o pobre coitado não escapa dessa.

– Então você acha que é apenas isso? – perguntou Fenella, com um tom de voz estranho.

Mas naquele momento chegava o médico. Informou que havia pouca esperança de recuperação. Ewan Corjeag foi transportado para a casa e uma enfermeira foi enviada para cuidar dele. Nada podia ser feito, e ele viria a morrer algumas horas mais tarde.

Nós havíamos sido chamados e ficamos junto ao seu leito. Seus olhos se abriram e piscaram.

– Somos os seus primos Juan e Fenella – eu disse. – Há alguma coisa que possamos fazer por você?

Moveu a cabeça de leve em uma negação. Um sussurro veio de seus lábios. Inclinei-me para ouvir.

– Vocês querem a pista? Para mim já era. Não deixem Fayll levar essa.

– Sim – disse Fenella. – Me diga.

Algo semelhante a um sorriso se desenhou em sua face.

– D'ye Ken... – ele começou.

Então, de súbito, sua cabeça se voltou para o lado e ele morreu.

— Não gostei disso – disse Fenella de repente.

– Do que você não gostou?

– Escute, Juan. Ewan roubou as pistas... ele admite ter caído da escada. *Então onde elas estão?* Vimos tudo o que ele levava nos bolsos. A sra. Skillicorn diz que eram três envelopes lacrados. Os envelopes não estavam ali.

– O que você está pensando, então?

– Acho que havia mais alguém naquele momento, alguém que empurrou a escada para Ewan cair. E aquela pedra... ele não caiu sobre ela... ela foi trazida de uma certa distância... eu encontrei as marcas. Sua cabeça foi golpeada com ela, de modo intencional.

– Mas Fenella... Isso é assassinato!

– Sim – disse Fenella, muito pálida. – É um assassinato. Veja, o dr. Fayll não apareceu hoje na hora combinada, às dez. Onde ele está?

– Você acha que ele é o assassino?

– Sim. Você sabe... esse tesouro... há muito dinheiro envolvido, Juan.

– E nós não temos a mais vaga ideia de onde começar a procurar – eu disse. – Uma pena que Corjeag não tenha conseguido terminar o que ia dizer.

– Há uma coisa que talvez possa ajudar. Isto estava na mão dele.

Ela me alcançou uma foto instantânea rasgada.

– Suponha que seja uma pista. O assassino a arrancou e não percebeu que tinha deixado um pedaço para trás. Se fôssemos capazes de encontrar a outra metade...

– Para conseguirmos isso – eu disse –, precisamos encontrar o segundo tesouro. Vamos dar uma olhada nisso. Humm... Não há muito para se ver. Aquilo parece ser uma torre no meio do círculo, mas seria bastante difícil de identificar.

Fenella assentiu.

– O dr. Fayll ficou com a metade mais importante. Sabe onde deve procurar. Precisamos encontrar esse homem, Juan, e vigiá-lo. Claro, não vamos deixar que ele saiba quais são nossas suspeitas.

– Me pergunto em que parte da ilha ele estará neste exato momento. Se a gente pudesse...

Minha mente se voltou outra vez para o morto. Subitamente me levantei.

– Fenella – eu disse –, Corjeag não era escocês?

– Não, claro que não.

– Então, não consegue perceber? Me refiro ao que ele quis dizer, sabe?

– Do que você está falando?

Rabisquei algumas coisas em um pedaço de papel e passei a ela.

– O que é isso?

– O nome de uma firma que talvez possa nos ajudar.

– Bellman e True. Quem são? Advogados?

– Não... estão mais para o nosso time... detetives particulares.

E comecei a explicar.

* * *

– O dr. Fayll os aguarda – disse a sra. Skillicorn.

Olhamos um para o outro. Vinte e quatro horas haviam se passado. Havíamos retornado de nossa missão novamente vitoriosos. Evitando chamar atenção sobre nossas ações, fizemos uma jornada ao Snaefell* – em um ônibus de turismo.

– Me pergunto se ele sabe que o observamos à distância. – murmurou Fenella.

– É extraordinário. Se não fosse pela pista que a fotografia nos deu...

– Shhhh... e seja cauteloso, Juan. Ele deve estar tomado de fúria por termos passado à sua frente, apesar de tudo.

Contudo, não havia nenhum sinal de contrariedade nas maneiras do médico. Entrou na sala com seu jeito encantado e urbano de ser, e senti diminuir minha fé na teoria de Fenella.

– Que tragédia terrível! – ele disse. – Pobre Corjeag. Acho que ele estava... tentando nos passar a perna e sair na frente. A retribuição veio rápida. Bem, bem... mal o conhecíamos, pobre coitado. Vocês devem ter se per-

---

* A montanha mais alta de *Isle of Man*, com 621m. (N.T.)

guntado por que não apareci nesta manhã como combinado. Recebi uma mensagem falsa... coisa do Corjeag, suponho... que me levou a uma caçada inútil ao redor da ilha. E aí estão vocês dois de volta, novamente vitoriosos. Como conseguiram?

Havia uma nota de verdadeira ansiedade no tom de sua pergunta que não me escapou.

– O primo Ewan teve a felicidade de poder dizer algumas palavras antes de morrer – disse Fenella.

Fiquei observando o homem, e poderia jurar ter visto seus olhos se alarmarem sob o efeito das palavras dela.

– É mesmo? E o que ele disse? – perguntou.

– Conseguiu apenas nos dar uma pista sobre a região onde o tesouro estaria escondido – explicou Fenella.

– Oh! Entendo... entendo. Eu estava por fora das coisas... embora, e isso é muito curioso, eu estivesse naquela região da ilha. Vocês devem ter me visto circulando por lá.

– Estávamos muito ocupados – disse Fenella, desculpando-se.

– Claro, claro. Vocês devem ter encontrado o tesouro mais ou menos por acidente. Jovens sortudos, hein? Bem, qual é o próximo passo? A sra. Skillicorn nos dará as novas pistas?

Mas esse terceiro jogo de pistas deveria ser retirado com o advogado, e nós três nos dirigimos ao escritório, onde os envelopes selados nos foram entregues.

O conteúdo era simples. Um mapa com uma certa área marcada, e um pedaço de papel com as direções em anexo.

Em 85 este lugar fez história.
Dez passos do marco para
Leste, e então mais dez
Na direção norte. Duas árvores estão na

*Linha de visão. Uma delas
É sagrada nesta ilha. Desenhe
Um círculo a um metro e meio do
Castanheiro espanhol e,
Com a cabeça inclinada, olhe em volta. Olhe bem.
   Você vai achar.*

– Parece que hoje vamos pisar bastante uns nos pés dos outros – comentou o médico.

Fiel à minha política de boa vizinhança, ofereci-lhe uma carona em nosso carro, que ele aceitou. Almoçamos em Port Erin, e então demos início à nossa caçada.

Intimamente, eu seguia me perguntando por que meu tio teria deixado esse jogo de pistas com o seu advogado. Teria ele previsto a possibilidade do roubo? E poderia ter ele determinado que mais de um jogo de pistas pudesse cair nas mãos do ladrão?

A caça ao tesouro dessa tarde não deixou de ter o seu lado humorístico. A área de procura era limitada, e estávamos, de maneira contínua, em contato visual. Olhávamo-nos com suspeita, tentando determinar se o outro se encontrava mais próximo de descobrir ou se havia tido alguma iluminação.

– Tudo isso é parte do plano do tio Myles – disse Fenella. – Ele queria que nós ficássemos nos olhando, enfrentando toda a agonia de ver o outro sair vencedor.

– Venha – eu disse. – Vamos analisar a pista de modo científico. Temos um ponto indiscutível de partida. "*Em 85 este lugar fez história.*" Dê uma olhada no livro de referências que nós trouxemos e veja se consegue achar alguma coisa. Assim que conseguirmos isso...

– Ele está procurando naqueles arbustos – interrompeu-me Fenella. – Oh, não estou aguentando. Se ele conseguir...

— Preste atenção — eu disse com firmeza. — Só há uma maneira, de fato, de conseguirmos alguma coisa: agindo corretamente.

— Há tão poucas árvores na ilha que seria bem mais simples se fôssemos em busca de qualquer castanheiro! — disse Fenella.

A hora seguinte correu sem novidade. Ficamos mais nervosos e desapontados — e durante todo o tempo nos torturávamos com o medo de que Fayll pudesse ser bem-sucedido enquanto nós tivéssemos falhado.

— Lembro de uma história de detetive que li certa vez — eu disse —, em que um sujeito dá um banho de ácido num bilhete e, de repente, começam a surgir as verdadeiras letras que compunham a mensagem oculta.

— Você acha que é o caso? Mas não temos ácido aqui!

— Não creio que o tio Myles esperasse de nós tais conhecimentos químicos. Mas acho que podemos usar uma fonte de calor qualquer...

Deslizamos para trás da proteção de alguns arbustos e, em alguns instantes, ateei fogo em um montinho de gravetos. Segurei o papel o mais perto possível da chama. Quase de imediato, fui recompensado com a visão de algumas letras que começaram a surgir no pé da folha. Eram apenas duas palavras.

— Kirkhill Station — leu Fenella.

Naquele exato momento, Fayll se aproximou de onde estávamos. Se ele tinha escutado ou não, não tivemos como saber. Não demonstrou nada.

— Mas Juan — disse Fenella, assim que nos afastamos —, não existe uma Kirkhill Station! — segurava o mapa aberto enquanto falava.

— Não — eu disse ao examiná-lo —, mas veja isto.

E com um lápis eu desenhei uma linha sobre ele.

— Claro! E em algum lugar dessa linha...

– Exato.

– Como eu queria que a gente soubesse onde.

Foi então que minha segunda iluminação me ocorreu.

– E sabemos! – eu gritei, e me apossando novamente do lápis, disse: – Veja!

Fenella deixou escapar um grito.

– Que idiota! – ela gritou. – E que maravilha: que trapaça! De verdade. O tio Myles era mesmo um cavalheiro dos mais engenhosos!

Era chegada a hora da última pista. Esta, informou-nos o advogado, não estava com ele. Receberíamos a pista através de um cartão postal que ele ainda iria nos enviar. Excetuado isso, não tinha mais nada para nos dizer.

Contudo, não recebemos nada na manhã seguinte, conforme combinado, e Fenella e eu começamos a nos agoniar, acreditando que Fayll tinha arranjado uma maneira de interceptar, de algum modo, a nossa carta. No dia seguinte, porém, nossos receios foram aplacados e o mistério resolvido quando recebemos a seguinte nota, escrita com garranchos por alguém iletrado:

Caro sir *ou madam,*

Desculpi o atrazo mas eu tive uma série de poblemas mas agora eu faço o que pediu o sr. Mylecharane e paço pra o senhor uma sabedoria que está na minha família a muito tempo e que eu não sei pra que ele queria.

Obrigada desde já,
Mary Kerruish

— O carimbo do correio é de Bridge — observei. — Vamos então à "sabedoria que está na minha família"!

Sobre uma rocha, um sinal você vai ver
Ó, diga lá o que esse ponto
pode ser? Bem, pra começar, (A). Ali
Perto você encontrará, não mais que de repente, a luz
que está procurando. Então (B). Uma casa. Uma
Choupana com um telhado de palha e um muro.
Uma trilha sinuosa ali perto. Isso é tudo.

— É muito injusto começar com uma rocha — disse Fenella. — Elas estão em toda parte. Como saber qual delas está assinalada?

— Se pudéssemos determinar o distrito — eu disse —, seria bem mais simples achar a tal da rocha. Deve haver uma marca sobre ela, apontando para alguma direção, e nessa direção haverá algo escondido, que iluminará a posição do tesouro.

— Acho que você está certo — disse Fenella.

— Esse é o ponto A. A nova pista nos dará a dica de onde está B, a choupana. O tesouro mesmo está escondido ao longo dessa trilha que corre ao lado da choupana. Mas é claro que, antes de tudo, precisamos encontrar A.

Devido à dificuldade do passo inicial, o último problema do tio Myles provou ser realmente desafiador. A Fenella coube a distinção de revelar o mistério — e mesmo assim ela não conseguiu sucesso antes de uma semana. Vez ou outra, cruzávamos com Fayll em nossa busca por regiões rochosas, mas a área que todos buscávamos era difícil de encontrar.

Quando, afinal, conseguimos descobrir, já era tarde da noite. Tarde demais, eu disse, para seguir até o local indicado. Fenella discordou.

— Suponha que Fayll o descubra também – ela disse.
— E enquanto esperamos pela manhã, ele começa nesta noite. Imagina como não iríamos nos amaldiçoar!

De súbito, uma ideia maravilhosa me ocorreu.

— Fenella – eu disse –, você acredita que Fayll matou Ewan Corjeag?

— Sim.

— Então me parece que é a hora, que é nossa chance de incriminá-lo.

— Aquele homem me dá arrepios. É a maldade em pessoa. Diga-me o que está pensando.

— Considere o fato de que descobrimos o ponto A. E então seguimos para o próximo passo. Dez contra um como ele nos seguirá. É um lugar afastado... Do jeito que ele gosta. Ele colocará as garras de fora se fingirmos ter encontrado o tesouro.

— E então?

— E então – eu disse – ele terá uma pequena surpresa.

Já se aproximava da meia-noite. Havíamos deixado o carro a uma certa distância e vasculhávamos a extensão de um muro. Fenella estava com uma poderosa lanterna. Eu carregava um revólver. Não queria correr nenhum risco.

De repente, com um grito abafado, Fenella parou.

— Veja, Juan – ela gritou. – Aqui está. Finalmente.

Por um momento, baixei a guarda. Guiado por meu instinto me virei... mas era tarde demais: Fayll estava a seis passos de distância, com um revólver apontado para nós.

— Boa noite – ele disse. – Esta rodada é minha. Importam-se, por favor, de me passar o tesouro?

— Gostaria também que eu lhe desse mais alguma coisa? – perguntei. – Que tal metade de um instantâneo rasgado, recolhido da mão de um moribundo? *Creio que você tenha a outra metade.*

A mão dele oscilou.

– Do que você está falando? – grunhiu.

– Da verdade nua e crua – eu disse. – Você e Corjeag estavam juntos naquela noite. Você empurrou a escada e depois o golpeou na cabeça com a pedra. A polícia é mais esperta do que você pensa, dr. Fayll.

– Eles já sabem, não é? Bem, aos diabos com isso. Serei enforcado por três assassinatos em vez de um!

– Proteja-se, Fenella! – gritei. E no mesmo instante o revólver disparou com um estrondo.

Nós dois nos escondemos atrás dos arbustos, e, antes que ele pudesse voltar a disparar, homens uniformizados saíram de trás do muro, onde haviam estado escondidos. No momento seguinte, Fayll já havia sido algemado e levado para longe.

Tomei Fenella nos braços.

– Eu sabia que estava certa – ela disse, tremendo.

– Querida! – gritei. – Isso foi muito arriscado. Ele podia ter lhe dado um tiro.

– Mas não deu – disse Fenella. – E sabemos onde está o tesouro.

– Sabemos?

– Eu sei. Veja... – Rabiscou uma palavra. – Procuraremos amanhã. Não pode haver muitos esconderijos por lá.

Mal iniciava a tarde quando:

– Eureka! – disse Fenella com suavidade. – A quarta tabaqueira! Conseguimos ficar com todas elas. Tio Myles ficaria satisfeito. E agora...

– Agora – eu disse – podemos nos casar e viver felizes para sempre.

– Viveremos em *Isle of Man* – disse Fenella.

– Do ouro de Manx – eu disse, rindo alto, de pura felicidade.

Epílogo

O tesouro foi tudo o que restou da fortuna perdida do "velho Mylecharane", um legendário contrabandista de Manx. Na realidade, o tesouro tomou a forma de quatro tabaqueiras, cada uma com o tamanho de uma caixa de fósforos, contendo uma moeda de meio pêni do século XVIII com um furo no centro, através do qual foi amarrada uma pequena fita colorida com um documento dobrado de forma ordenada, preenchido com muitos floreios em tinta indiana e assinado por Alderman Crookall, que orientava o descobridor a relatar de imediato a descoberta ao caixeiro da câmara municipal de Douglas, capital da *Isle of Man*. Os descobridores foram instruídos a levar com eles as tabaqueiras e seus conteúdos a fim de reivindicar um prêmio de cem libras (equivalente a cerca de três mil libras hoje). Igualmente tiveram que trazer com eles a prova de identidade, porque apenas aos visitantes da ilha foi permitido procurar pelo tesouro; os residentes de Manx foram excluídos da caça.

Um raciocínio simples poderia levar facilmente ao paradeiro do tesouro

O único propósito da primeira pista em "O ouro de Manx", a rima que começa com "*Quatro pontos cardeais devem existir*", publicado no *Daily Dispatch* de sábado, 31 de maio, era indicar que os quatro tesouros seriam encontrados a norte, sul, e a oeste da ilha, mas não a leste. A pista quanto à posição da primeira tabaqueira era, de fato, a segunda pista, um mapa publicado em 7 de junho. Entretanto, o tesouro já tinha sido encontrado por um alfaiate de Inverness, William Shaw, porque a própria história já continha em si mesma indícios suficientes quanto à sua posição.

A pista mais importante se constituía da observação de Fenella de que o lugar do esconderijo estava perto do lugar "onde se disputava o Derby em suas origens... Antes de ser transferido para Epsom." Essa é uma referência à famosa corrida de cavalos inglesa, que antes se realizava em Derbyhaven, na parte sudeste da *Isle of Man*. A ilha que ficava "bastante próxima" e para a qual, assim era dito, havia uma "passagem secreta" até uma casa de fazenda pode ser facilmente identificada como a St. Michael's Isle, na qual, além da capela de St. Michael, do século XII, há uma torre de pedra circular conhecida como Derby Fort, de onde a ilha ganhou seu nome alternativo, Ilha do Forte: "os dois juntos parecem formar uma conjunção que não parece ocorrer em nenhum outro lugar". O forte foi representado no mapa por um círculo com seis linhas que dele se projetavam, representando os seis canhões históricos, "seis deles" no forte; a capela foi representada por uma cruz.

A pequena tabaqueira de peltre foi escondida em uma borda rochosa que corria na direção nordeste, entre dos dois canhões do meio: "entre esses dois. A bússola confirma a localização?", enquanto a sugestão inicial de Juan de que a pista "aponta para nordeste da ilha" era uma pista falsa.

Fácil demais

A segunda tabaqueira, aparentemente construída de um chifre, foi encontrada no dia 9 de junho por Richard Highton, um construtor de Lancashire. Como Fenella revelou ao criminoso dr. Fayll, as palavras do moribundo Ewan Corjeag, "D'ye Ken" servem de indício para a localização do tesouro. De fato, são as palavras da abertura de uma canção inglesa tradicional, "John Peel", sobre um caçador de Cumbrian, e quando Juan sugeriu que "Bellman e True" era "o nome de um escritório de advocacia que poderia nos ajudar", ele não estava referindo à "firma de advocacia em Douglas" mencionada no início da história, mas aos dois *hounds* de John Peel, como nomeados na canção. De posse dessas pistas, a questão do "instantâneo rasgado", que foi publicada como a terceira pista, em 9 de junho, não seria "muito difícil de identificar"; eram as ruínas do Peel Castle, do século XIV, em St. Patrick's Isle, e as linhas curvadas ao longo da borda esquerda da fotografia eram os floreios no braço de um banco no Monte Peel, que parece menosprezar o castelo e sob o qual a tabaqueira foi escondida. O passeio turístico a Snaefell, o pico o mais elevado de *Isle of Man*, era outra pista falsa.

Mais ou menos por acidente

O terceiro "tesouro" foi encontrado pelo sr. Herbert Elliot, um engenheiro náutico nascido em Manx e que vive em Liverpool. O sr. Elliot alegou mais tarde que não tinha lido "O ouro de Manx" e nem sequer estudara as pistas, mas tinha simplesmente decidido que aquela era uma área provável onde, muito cedo na manhã do 8 de julho, encontrou por a caso a tabaqueira, escondida em uma vala.

A pista principal para sua localização havia sido escondida na quarta pista, publicada em, 14 de junho (os versos começam com "Em 85 este lugar fez história"), em que a segunda palavra de cada linha revela a seguinte mensagem:

"85... passos... leste... norte... leste... do... sagrado... círculo... espanhola... cabeça..."* O "círculo sagrado" é o círculo no Monte Mull, um monumento megalítico que dista uns dois quilômetros da Cabeça Espanhola, o ponto o mais ao sul da ilha. A referência a um importante evento

---

* Tal ordem diz respeito ao poema-pista original em inglês. Não havendo necessidade de o leitor atual buscar as evidências da real caça ao tesouro, decidimos manter a ordem de Agatha Christie a fim de acompanhar melhor a sua explicação. (N.T.)

"em 85" e a um castanheiro espanhol, que, de acordo com relatos atuais se tornou um desvio para muitos dos caçadores, eram pistas falsas. Quanto à Estação Kirkhill, a pista descoberta por Juan, Fenella havia dito com precisão que tal lugar não existia. Entretanto, há uma vila chamada Kirkhill e há igualmente uma estação de trem em Port Erin, onde Juan e Fenella tinham ido almoçar antes de começar a sua busca. Se uma linha for traçada de Kirkhill a Port Erin e se esse traçado continuar sendo seguido na direção sul, ele acabará por cruzar o círculo de Meayll, "o ponto exato" identificado por Juan.

Uma isca verdadeira

Infelizmente, como foi o caso das pistas para a localização da terceira tabaqueira, os indícios que levariam à quarta nunca foram resolvidos. A quinta e última pista, o verso que começava com "*Sobre uma rocha, um sinal você vai ver*", foi publicada em 21 de junho, mas foi só em 10 de julho, no fim do prolongado período permitido para a caça, que deveria originalmente terminar no fim de junho, o último "tesouro" veio "à tona" pelas mãos do prefeito de Douglas. Dois dias mais tarde, como uma "sequência" à história, o *Daily Dispatch* publicou uma fotografia do evento e a explicação de Christie para a pista final:

> *Esta última pista ainda me faz rir quando lembro de quanto tempo perdemos à procura de rochas que tivessem um sinal nelas. A pista verdadeira era tão simples – as palavras "seis e setes" – no cartão postal.*
> *Tome as sextas e sétimas palavras cada uma das linhas do verso e você terá o seguinte: "Você verá. Ponto (A). Próximo ao farol, um muro." Veja o ponto A, nós o identificamos como Ponto de Ayre. Passamos algum tempo buscando o muro certo, e o tesouro em si não*

> *estava lá. Em vez disso, havia quatro números – 2, 5, 6 e 9, rabiscados em uma pedra*
>
> *Aplique isso às letras da primeira linha do verso e você encontrará a palavra "parque". Há apenas um parque de verdade em Isle of Man, em Ramsey. Investigamos aquele parque e encontramos, por fim, o que havíamos procurado.*

A construção em questão era um pequeno e refrescante quiosque de palha, e o caminho até ele passava por um muro coberto de heras, que era o lugar ideal para esconder a elusiva tabaqueira. O fato de que a carta tivesse sido postada em Bridge era uma pista adicional, já que esse vilarejo está localizado nas proximidades do farol em Ponto de Ayre, o ponto mais a norte da ilha.

É impossível julgar se "O ouro de Manx" foi uma maneira bem-sucedida de promover o turismo em *Isle of Man*. Certamente houve um número maior de visitantes em 1930 do que nos anos anteriores, mas quanto desse acréscimo se deve à caça ao tesouro é bastante discutível. A impressa da época revela que havia muitas pessoas que duvidavam que houvesse tesouros de real valor, e, em um almoço cívico ao fim da caçada, Alderman Crookhall agradeceu ironicamente àqueles que não se esforçaram para ajudar na divulgação do evento dizendo que há sempre "preguiçosos e rabugentos que não fazem nada além de criticar as iniciativas dos outros".

O fato de que não estivessem autorizados a participar pode ter sido uma das causas da apatia entre os habitantes da ilha, ainda que o *Daily Dispatch* tenha oferecido ao residente de Manx o prêmio de cinco guinés, equivalente a 150 libras hoje em dia, caso o descobridor estivesse hospedado em sua casa. Isso também pode ter sido a causa de vários atos de leve "sabotagem", tais como a proliferação de falsas tabaqueiras e pistas fajutas, incluindo aí uma rocha em que estava pintada a palavra "erga", mas que debaixo de si ocultava apenas cascas de frutas. Embora nunca mais tenha ocorrido qualquer evento parecido com a caça ao tesouro em *Isle of man*, Agatha Christie *continuou* escrevendo histórias de mistério com um tema semelhante. Prova bastante óbvia do que foi dito é o desafio proposto a Charmian Stroud e Edward Rossiter pelo seu excêntrico tio Mathew, em "Strange Jest", uma história de Miss Marple, originalmente publicada em 1941 como "A case of Buried Trasure" e depois em *Three Blind Mice* (1948). Também há uma estrutura semelhante de "caça ao assassino" em um dos romances de Poirot chamado *Dead Man's Folly* (1956).

DENTRO DE UMA PAREDE

Foi a sra. Lemprière quem descobriu a existência de Jane Haworth. E quem mais poderia ter sido? Alguém um dia disse que a sra. Lemprière era sem dúvida a mulher mais odiada de Londres, mas acho isso um exagero. Ela certamente tem um talento especial para desencavar justo aquilo que mais desejamos esconder, e ela faz isso de maneira genial. É sempre um acontecimento.

Desta vez nós estávamos tomando chá no estúdio de Alan Everard. Ele costumava dar esses chás de tempos em tempos, e ficava ali pelos cantos, vestindo roupas muito velhas, chacoalhando as moedas dentro dos bolsos da calça, com um ar profundamente infeliz.

Suponho que ninguém contestaria a genialidade de Everard hoje em dia. Seus dois quadros mais famosos, *Cor* e *O especialista*, que pertencem à sua primeira fase, antes de ele se tornar um elegante retratista, foram comprados pela pátria no ano passado, e pela primeira vez a escolha foi de um bom gosto indiscutível. Mas na ocasião a que me refiro, Everard estava apenas começando a se firmar, e nós éramos livres para pensar que o havíamos descoberto.

Era sua mulher quem organizava essas festas. A postura de Everard em relação a ela era peculiar. Era evidente que a adorava, nada mais incontestável. Afinal, adoração era o que Isobel merecia. Mas ele parecia se sentir sempre um pouco em débito para com ela. Provia-a de qualquer coisa que ela desejasse, não tanto por conta de sua ternura, mas sim por uma convicção inalterável de que ela possuía o direito de fazer as coisas à sua maneira. Suponho que isso seja também bastante natural, se alguém parar para pensar.

Porque Isobel Loring havia sido de fato muito celebrada. Quando fora apresentada à sociedade, havia sido *a* debutante do ano. Tinha tudo, exceto dinheiro: beleza, destaque na sociedade, boa educação, inteligência. Ninguém esperava que fosse se casar por amor. Ela não era esse tipo de garota. Quando chegou à maioridade, contava com três pretendentes: o herdeiro de um ducado, um político promissor e um milionário sul-africano. E então, para a surpresa de todos, casou-se com Alan Everard – um jovem pintor no início de carreira, de quem ninguém nunca tinha ouvido falar.

Foi em tributo à sua personalidade, penso eu, que todos continuaram chamando-a de Isobel Loring. Ninguém jamais se referiu a ela como Isobel Everard. Eles diziam: "Eu vi Isobel Loring esta manhã. Sim, com o marido dela, o jovem Everard, o pintor".

As pessoas diziam que Isobel tinha feito uma "má escolha". Creio que para muitos homens teria sido uma "ótima escolha" caso ficassem conhecidos como "o marido de Isobel Loring". Mas Everard era diferente. O talento de Isobel para antever o sucesso não havia falhado, afinal. Alan Everard havia pintado *Cor*.

Suponho que todos conheçam o quadro: a extensão de uma estrada cortada por uma vala, e terra de cor avermelhada revirada, um brilhante e lustroso cano de esgoto e o imenso operário, apoiado em sua pá, descansando por um instante – uma figura hercúlea, vestindo calças de veludo cotelê manchadas e um lenço escarlate no pescoço. Seu olhar sai da tela e fita o espectador, um olhar desprovido de inteligência ou esperança, mas com uma taciturna e inconsciente súplica, os olhos de um animal feroz, magnífico e brutal. É algo extravagante – uma sinfonia em laranja e vermelho. Muito foi escrito sobre seu simbolismo, sobre o que pretendia expressar. O próprio Alan Everard afirma que não pretendia expressar nada. Diz que estava enjoado de tanto ver quadros de pores do sol venezianos, e que o invadiu um repentino desejo por uma profusão de cores genuinamente inglesas.

Depois disso, Everard apresentou ao mundo aquela épica pintura de uma taverna – *Romance*: a rua negra e chuvosa, a porta entreaberta, as luzes e os copos brilhantes, o pequeno homem de rosto malicioso cruzando o vão da porta, pequeno no sentido de insignificante, com lábios repartidos e olhos ávidos, entrando para se perder.

Em vista dessas duas pinturas, Everard foi aclamado como um pintor de "homens comuns". Ele tinha seu nicho. Mas se recusava a permanecer nele. Seu terceiro e mais brilhante trabalho foi um retrato de corpo inteiro de sir Rufus Hershman. O famoso cientista está pintado sobre um fundo de retortas e crisóis e estantes de laboratório. O conjunto tem o que se pode chamar de um efeito cubista, mas as linhas de perspectiva estendem-se de forma peculiar.

E agora ele havia completado seu quarto trabalho – um retrato de sua mulher. Tínhamos sido convidados para ver e criticar o quadro. Everard franzia a testa e olhava pela janela; Isobel Loring movia-se por entre os convidados, falando sobre técnica com inabalável exatidão.

Fizemos alguns comentários. Tínhamos de fazê-lo. Elogiamos a pintura do cetim cor-de-rosa. Seu tratamento, dissemos, era de fato maravilhoso. Ninguém havia pintado cetim daquela maneira antes.

A sra. Lemprière, uma das críticas de arte mais inteligentes que conheço, me puxou para um canto tão logo pôde.

— Georgie — ela disse —, o que foi que aconteceu? O quadro está apático. Está plano. Está... está abominável.

— *Retrato de uma dama em cetim cor-de-rosa?* — sugeri.

— Exato. No entanto a técnica é perfeita. E o esmero! Há trabalho suficiente ali para dezesseis quadros.

— Trabalho demais? — sugeri.

— Talvez seja isso. Se em algum momento havia alguma coisa ali, ele a matou. Uma mulher lindíssima num vestido de cetim cor-de-rosa. Por que não uma fotografia colorida?

— Por que não? — concordei. — Você acha que ele sabe?

— É claro que ele sabe — disse a sra. Leprière com desprezo.

— Você não vê que o homem está uma pilha de nervos? Certamente por misturar sentimento com negócios. Ele deu tudo de si para pintar Isobel, porque ela é *a* Isobel, e por poupá-la ele a acabou perdendo. Foi muito complacente. Às vezes é preciso destruir a carne antes que possa capturar a alma.

Acenei com a cabeça de modo reflexivo. Sir Rufus Herschman não havia sido favorecido fisicamente, porém Everard havia estampado na tela com sucesso uma personalidade que era inesquecível.

— E Isobel tem uma personalidade tão enérgica — continuou a sra. Leprière.

— É possível que Everard não consiga pintar mulheres — eu disse.

— É possível que não — disse a sra. Leprière, pensativa. — Sim, talvez essa seja a explicação.

E foi então que, com sua habitual perspicácia, ela puxou uma tela que estava encostada com a face voltada para a parede. Havia cerca de oito delas, amontoadas com desleixo. Foi por puro acaso que a sra. Leprière escolheu aquela e não qualquer uma das outras, mas, como já disse, essas coisas acontecem com a sra. Leprière.

– Ah! – disse a sra. Lemprière ao voltá-la para a luz.

Estava inacabada, um mero esboço. A mulher, ou moça – ela não tinha, a meu ver, mais de 25 ou 26 anos – estava inclinada para frente, o queixo apoiado na mão. Duas coisas me impressionaram imediatamente: a extraordinária vitalidade do quadro e sua incrível crueldade. Everard parecia estar se vingando através do pincel. A postura chegava a ser cruel – evidenciava cada deselegância, cada ângulo acentuado, cada aspereza. Era um estudo em marrom – vestido marrom, fundo marrom, olhos do mesmo tom – olhos desejosos, ávidos. Avidez era, de fato, sua marca predominante.

A sra. Lemprière observou a pintura em silêncio por alguns minutos. Então, chamou Everard.

– Alan – ela disse –, venha aqui. Quem é esta?

Everard se aproximou, obediente. Pude ver o súbito lampejo de irritação que ele não conseguiu esconder por completo.

– Isso é apenas um rascunho. Acredito que nem chegarei a terminá-lo.

– Quem é ela? – perguntou a sra. Lemprière.

Everard se mostrava reticente em responder, e sua relutância só fazia instigar ainda mais a sra. Lemprière, que tem por princípio sempre acreditar no pior.

– Uma amiga minha, a srta. Jane Haworth.

– Eu não a conheço –, disse a sra. Lemprière.

– Ela não vem a essas exibições. – Ele fez uma pausa, depois acrescentou: –Ela é madrinha de Winnie.

Winnie era sua filhinha de cinco anos.

– É mesmo? – perguntou a sra. Lemprière. – Onde ela mora?

– Battersea. Num apartamento.

– É mesmo? – disse mais uma vez a sra. Lemprière, e então completou: – E o que foi que ela fez para o senhor?

– Para mim?

– Para o senhor. Para fazer com que fosse tão implacável.

– Ah, é disso que a senhora está falando! – ele riu. – Bem, a senhora sabe, ela não é nenhuma beldade. Não posso transformá-la por conta da nossa amizade, não é mesmo?

– O senhor fez o oposto – disse a sra. Seekprière. – Captou cada defeito dela e o exagerou e distorceu. Tentou fazê-la parecer ridícula... mas não conseguiu, meu jovem. Este retrato, se o senhor terminá-lo, sobreviverá.

Everard parecia incomodado.

– Não está mal – ele disse, de modo raso –, quero dizer, para um esboço. Mas não chega aos pés do retrato de Isobel. Aquele é de longe a melhor coisa que já fiz.

Ele disse as últimas palavras de modo desafiador e agressivo. Nenhum de nós respondeu.

– De longe a melhor coisa que já fiz – ele repetiu.

Alguns dos outros haviam se aproximado de nós. Eles também puderam ver o esboço. Houve exclamações, comentários. O clima começou a melhorar.

Foi dessa maneira que pela primeira vez ouvi o nome de Jane Haworth. Posteriormente, vim a encontrá-la – duas vezes. Vim a saber detalhes de sua vida por meio de um de seus amigos mais íntimos. Vim a descobrir muito através do próprio Alan Everard. Agora que os dois estão mortos, acredito que seja hora de contradizer algumas das histórias que a sra. Lemprière anda, com todo empenho, espalhando. Diga que minha história é um tanto fabulosa, se quiser, mas não está longe da verdade.

Depois que os convidados partiram, Alan Everard voltou a virar o retrato de Jane Haworth para a parede. Isobel caminhou através da sala e parou ao lado dele.

– Um sucesso, você não acha? – ela perguntou atenciosa. – Ou não foi um verdadeiro sucesso?

– O retrato? – ele perguntou rapidamente.

– Não, seu bobo, a festa. É claro que o retrato é um sucesso.

– É a melhor coisa que já fiz – Everard declarou agressivo.

– Estamos progredindo – disse Isobel. – Lady Charmington quer que você a retrate.

– Oh, Deus! – ele franziu a testa. – Você sabe que eu não sou um retratista clássico.

– Você será. Chegará ao topo.

– Não é ao topo que eu quero chegar.

– Mas Alan, meu querido, é assim que se ganha rios de dinheiro.

– E quem quer rios de dinheiro?

– Talvez eu queira – disse ela, sorrindo.

Instantaneamente ele sentiu-se apologético, envergonhado. Se não tivesse se casado com ele, ela poderia ter seus rios de dinheiro. E ela precisava deles. Certa dose de luxo era o cenário adequado para ela.

– Não estamos nos saindo tão mal nos últimos tempos – disse ele, ansioso.

– É verdade, não estamos, mas as contas estão chegando rápido.

Contas... sempre as contas!

Ele caminhava de um lado para o outro.

– Ah, que se exploda! Eu não quero pintar lady Charmington – ele irrompeu, como uma criança petulante.

Isobel deu um pequeno sorriso. Ela permaneceu à beira do fogo sem se mover. Alan interrompeu suas incansáveis passadas e chegou mais perto dela. O que havia nela, em seu silêncio, em sua apatia, que o atraía daquela maneira... que o atraía como um imã? Como ela era linda – seus braços como brancas esculturas de mármore, o ouro imaculado de seus cabelos, seus lábios – lábios vermelhos e carnudos.

Ele os beijou, sentiu-os contra os seus. Alguma coisa mais importava? O que havia em Isobel que fazia com que você se sentisse reconfortado, que livrava alguém de todas as suas aflições? Ela o atraía para sua bela inércia e o mantinha lá, sossegado e contente. Papoula e mandrágora; você flutuava por lá, em um lago sombrio, adormecido.

– Pintarei lady Charmington – ele disse num instante. – O que importa? Ficarei entediado... mas afinal, pintores têm que comer. Tem o sr. Pots, o pintor, a sra. Pots, esposa do pintor, e a srta. Pots, filha do pintor – todos precisando de sustento.

– Seu tolinho! – disse Isobel. – Por falar na sua filha, você tem que ir visitar Jane uma hora dessas. Ela esteve aqui ontem, e disse que não vê você há meses.

– Jane esteve aqui?
– Sim, para ver Winnie.

Alan deixou Winnie de lado.

– Ela viu o seu retrato?
– Sim.
– O que ela achou dele?
– Ela disse que estava esplêndido.
– Oh!

Ele franziu a testa, perdido em pensamentos.

– Acho que a sra. Lemprière desconfia que você nutre uma paixão secreta por Jane. – Comentou Isobel. – Ela encolheu o nariz um bocado.

– Aquela mulher! – disse Alan, com profundo desgosto. – Aquela mulher! O que ela não pensaria? O que ela não pensa?

– Bem, *eu* não penso nada – disse Isobel, sorrindo. – Então trate de ir logo visitar Jane.

Alan olhou de lado para ela. Ela agora estava sentada em um pequeno sofá perto da lareira. Seu rosto parcialmente virado, o sorriso ainda nos lábios. E naquele momento ele se sentiu desnorteado, confuso, como se um nevoeiro tivesse se formado ao seu redor e, ao dissipar-se de repente, houvesse dado a ele um rápido vislumbre de um território desconhecido.

Alguma coisa lhe dizia: "Por que ela quer que você vá visitar Jane? Há alguma razão". Porque quando se tratava de Isobel, sempre havia uma razão. Não havia instinto em Isobel, apenas cálculo.

– Você gosta da Jane?

– Ela é um amor – disse Isobel.

– Sim, mas você realmente gosta dela?

– É claro. Ela é tão dedicada a Winnie. Por falar nisso, ela quer levar Winnie para a praia na semana que vem. Você não se importa, não é? Ficaríamos livres para ir à Escócia.

– Seria bastante conveniente.

Seria mesmo. Bastante conveniente. Ele olhou na direção de Isobel com uma súbita suspeita. Ela havia *pedido* a Jane? Era muito fácil se aproveitar de Jane.

Isobel levantou-se e saiu da sala, cantarolando para si mesma. Bem, não importava. De qualquer forma, ele iria visitar Jane.

Jane Haworth morava no último andar de um solar de apartamentos com vista para o parque Battersea. Depois de haver subido quatro andares de escadas e apertado a campainha, Everard sentiu-se irritado com Jane. Por que ela não podia morar num lugar de mais fácil acesso? Quando, depois de apertar três vezes a campainha, ainda não havia obtido resposta, sua irritação aumentou consideravelmente. Por que ela não conseguia empregar uma pessoa capaz de atender a porta?

De repente ela se abriu, e a própria Jane estava parada na entrada. Estava corada.

– Onde está Alice? – perguntou Everard, sem fazer nenhum esforço em cumprimentá-la.

– Bem, penso que... quero dizer, ela não está muito bem hoje.

– Andou bebendo de novo? – perguntou Everard com crueldade.

Era uma pena que Jane fosse uma mentirosa tão inveterada.

– Acredito que sim – disse Jane de forma relutante.

– Deixe-me vê-la.

Ele avançou a passos largos para dentro do apartamento. Jane o seguiu com irresistível obediência. Ele encontrou a delinquente Alice na cozinha. Não havia a menor dúvida quanto ao seu estado. Seguiu Jane até a sala de estar com um silêncio amargo.

– Você vai ter que se livrar dela – ele disse. – Já lhe disse isso.

– Eu sei que você disse, Alan, mas não posso fazer isso. Esqueceu? O marido dela está na prisão.

– Onde merece estar – disse Everard. – Quantas vezes essa mulher esteve bêbada durante os três meses em que trabalha aqui?

– Não foram muitas vezes; talvez três ou quatro. Ela fica deprimida, você sabe como é.

– Três ou quatro! Está mais para nove ou dez. Como ela cozinha? Pessimamente. Ela lhe presta alguma assistência ou lhe proporciona qualquer conforto neste apartamento? De maneira alguma. Por Deus, livre-se dela amanhã de manhã e contrate uma garota que seja útil.

Jane fitou-o com tristeza.

– Você não vai fazer isso – disse Everard, melancólico, afundando numa imensa poltrona. – Você é uma criatura tão sentimental. Que história é essa de que vai levar Winnie para a praia? Quem sugeriu isso, você ou Isobel?

Jane disse muito depressa:

– Fui eu, é claro.

– Jane – disse Everard –, se você apenas aprendesse a dizer a verdade, eu poderia gostar mesmo de você. Sente-se e, pelo amor de Deus, pare de contar mentiras ao menos por dez minutos.

— Oh, Alan! — disse Jane, e sentou-se.

O pintor examinou-a, em uma atitude crítica, por um ou dois minutos. Aquela mulher — a sra. Lemprière — estava certa. Ele havia sido cruel ao retratar Jane. Jane era quase — senão consideravelmente — bonita. Sua complexão longilínea lembrava as antigas formas gregas. Era sua ansiosa necessidade de agradar que a tornava estranha. Ele havia se apegado a essa característica, tendo-a exacerbado, aguçando a linha do seu queixo já um pouco pronunciado, projetando seu corpo em uma pose feia.

Por quê? Por que lhe era impossível ficar cinco minutos na companhia de Jane sem sentir brotar dentro de si uma violenta irritação contra ela? Dissesse o que dissesse, Jane era querida, mas irritante. Ele nunca se sentia calmo e tranquilo com ela como se sentia com Isobel. E, apesar disso, Jane era tão ansiosa em agradar, tão disposta a concordar com tudo o que ele dizia, mas, minha nossa, tão claramente incapaz de esconder seus verdadeiros sentimentos.

Ele olhou em volta da sala. Era a cara de Jane. Algumas coisas simpáticas, verdadeiras pérolas, aquela peça esmaltada de Battersea, por exemplo, e, ao lado da peça, um monstruoso vaso com rosas pintadas à mão.

Ele ergueu o último.

— Você ficaria muito brava, Jane, se eu atirasse isso pela janela?

— Oh, Alan, você não pode fazer isso.

— O que você quer com todo esse lixo? Você tem muito bom gosto, se ao menos se desse ao trabalho de usá-lo. Combinando as coisas!

— Eu sei, Alan. Não é que eu não saiba fazê-lo. Mas as pessoas me dão coisas. O vaso: miss Bates trouxe de Margate, e ela é tão pobre, e tem que trabalhar duro, e deve ter sido muito caro... para ela, quero dizer, e ela achou que fosse me agradar muito. Fui simplesmente obrigada a colocá-lo num lugar de destaque.

Everard não disse nada. Continuou olhando em volta da sala. Havia uma ou duas gravuras na parede – havia também diversas fotografias de bebês. Bebês, por mais que suas mães acreditem, nem sempre são fotogênicos. Qualquer das amigas de Jane que tivesse um bebê, apressava-se em mandar fotografias deles para ela, na expectativa de que essas recordações fossem estimadas. Jane as havia mesmo estimado.

– Quem é este monstrinho? – perguntou Everard, examinando um gordinho estrábico. – Não me lembro de tê-lo visto antes.

– É uma menina – disse Jane. – O novo bebê de Mary Carrington.

– Pobre Mary Carrington – disse Everard. – Suponho que você vá fingir que gosta de ter esta criança tenebrosa encarando você o dia todo com seus olhinhos estrábicos.

Jane disparou:

– Ela é uma criança adorável. Mary é uma amiga muito querida.

– A leal Jane – disse Everard, sorrindo para ela. – Então Isobel empurrou Winnie para você.

– Ora, ela disse que vocês queriam ir à Escócia, e eu me ofereci. Você vai me deixar ficar com Winnie, não vai? Eu venho pensado há tempos se você a deixaria ficar aqui comigo, mas não quis perguntar.

– Oh, você pode ficar com ela... mas é muita generosidade sua.

– Então está combinado – disse Jane com alegria.

Everard acendeu um cigarro.

– Isobel mostrou a você o novo retrato? – ele perguntou, de forma vaga.

– Mostrou.

– O que você achou?

A resposta de Jane veio rápida – rápida demais.

– É absolutamente esplêndido. Realmente esplêndido.

Alan levantou-se de um salto. A mão que segurava o cigarro estremeceu.

– Que diabos, Jane, não minta para mim!

– Mas Alan, tenho certeza, está absolutamente esplêndido.

– Você ainda não percebeu, Jane, que eu conheço cada entonação da sua voz? Você mente para mim como se fosse uma vendedora de roupas para não me magoar, suponho. Por que você não pode ser honesta? Acha que eu quero que você me diga que algo é esplêndido quando nós dois sabemos que não é? O maldito quadro está morto... morto. Não há vida alguma ali, nada por trás, nada além da superfície, maldita e branda superfície. Eu me enganei o tempo todo... sim, mesmo nesta tarde. Vim até aqui, até você, para descobrir. Isobel não sabe. Mas você sabe, você sempre sabe. Eu sabia que você ia me dizer que o quadro era bom... você não tem um bom-senso moral para esse tipo de coisa. Mas posso perceber pelo tom da sua voz. Quando eu mostrei *Romance* a você, você não disse absolutamente nada... prendeu a respiração e deu uma espécie de suspiro.

– Alan...

Everard não lhe deu chance de falar. Jane estava produzindo nele o efeito que ele conhecia tão bem. Estranho que uma criatura da gentileza de Jane pudesse provocar nele uma fúria tão arrebatadora.

– É possível que você pense que perdi a capacidade – ele disse, furioso –, mas eu não perdi. Posso realizar trabalhos tão bons quanto *Romance*... até melhores, talvez. Eu vou mostrar a você, Jane Haworth.

Ele saiu depressa dali. Caminhando com rapidez, atravessou o parque e a Ponte Albert. Ele ainda estava tinindo de irritação e raiva. Jane, decerto! O que *ela* sabia sobre pintura? O que a opinião *dela* valia? Por que ele deveria se importar? Mas ele se importava. Ele queria pintar algo que fizesse Jane perder o fôlego. Sua boca se abriria de leve e suas bochechas ficariam vermelhas. Ela olharia primeiro para a pintura, e depois para ele. Não diria absolutamente nada, era provável.

No meio da ponte ele visualizou o quadro que iria pintar. A imagem lhe ocorreu do nada, imprevista. Ele pôde ver no ar, ou seria apenas em sua mente?

Uma loja pequena e sombria, de objetos raros, um tanto escura e de aspecto bolorento. Atrás do balcão um judeu – um judeu baixo, com olhos astutos. Na frente dele um cliente, um homem grande, polido, bem-nutrido, opulento, inchado, com uma grande queixada. Acima deles, em uma prateleira, um busto feito de mármore branco. A luz ali, na face de mármore do menino, a beleza imortal da Grécia antiga, zombadora, indiferente à venda e ao escambo. O judeu, o rico colecionador, a cabeça do menino grego. Ele viu tudo.

– *O conhecedor*, é assim que vou chamá-lo – murmurou Alan Everard, medindo os passos até meio-fio e escapando por um triz de ser aniquilado por um ônibus que passava. – Sim, *O conhecedor*. Vou mostrar a Jane.

Quando chegou em casa, passou direto para o estúdio. Isobel o encontrou lá, arrumando telas.

– Alan, não se esqueça que vamos jantar com os Marches.

Everard sacudiu a cabeça, impaciente.

– Que se danem os Marches. Eu vou trabalhar. Tenho algo em mente, mas preciso gravar essas imagens... gravá-las agora na tela, antes que sumam. Ligue para eles. Diga que eu morri.

Isobel fitou-o pensativa por alguns instantes, e depois saiu. Ela dominava perfeitamente a arte de viver com um gênio. Foi até o telefone e inventou uma desculpa plausível.

Ela olhou em volta, bocejando um pouco. Então se sentou em sua escrivaninha e começou a escrever.

Cara Jane.
Muita obrigada pelo seu cheque, que recebemos hoje. Você é generosa com sua afilhada. As cem libras serão muito úteis. Crianças representam um gasto terrível. Você gosta tanto de Winnie que senti que não seria errado recorrer a você para um auxílio. Alan, como todos os gênios, só consegue trabalhar no que quer, e, infelizmente, o que ele quer nem sempre mantém a panela cheia. Espero vê-la em breve.

Atenciosamente,
Isobel

Quando *O conhecedor* estava acabado, alguns meses mais tarde, Alan convidou Jane para vê-lo. O quadro não era exatamente como ele o havia concebido – era impossível esperar que fosse –, mas ele havia chegado perto o suficiente. Ele sentiu o ardor do criador. Ele tinha feito esse trabalho, e o trabalho estava bom.

Dessa vez Jane não lhe disse que estava esplêndido. O rubor conquistou suas bochechas e seus lábios se entreabriram. Ela olhou para Alan, e ele viu em seus olhos o que desejava ver. Jane sabia.

Ele estava nas nuvens. Ele havia mostrado a Jane!

Sem o quadro a ocupar sua mente, voltou a prestar atenção no mundo ao seu redor.

Winnie havia aproveitado muito a quinzena à beira-mar, mas Alan ficou surpreso com o estado das roupas da menina; estavam muito surradas. Ele disse isso a Isobel.

– Alan! Justo você que nunca repara em nada! Mas eu prefiro que crianças sejam vestidas de maneira simples. Detesto quando estão muito espalhafatosas.

– Há uma diferença entre simplicidade e remendos e retalhos.

Isobel não disse nada, mas comprou um vestido novo para Winnie.

Dois dias depois, Alan lutava com a devolução do imposto de renda. Sua caderneta do banco repousava diante dele. Procurava pela caderneta de Isobel na escrivaninha dela quando Winnie entrou saltitando na sala, carregando uma vergonhosa boneca.

– Papai, tenho uma charada. Você consegue adivinhar? "No interior de uma parede branca como leite, no interior de uma cortina macia como seda, banhada num mar transparente como cristal, surge um pomo dourado." Adivinhe o que é?

– Sua mãe – disse Alan distraidamente. Ele seguia procurando.

– Papai! – Winnie deu uma gargalhada. – É um *ovo*! Por que você pensou que fosse a mamãe?

Alan também sorriu.

– Eu não estava prestando atenção – ele disse. – E as palavras lembravam a mamãe, de certo modo.

Uma parede branca como leite. Uma cortina. Cristal. O pomo dourado. Sim, isso o remetia a Isobel. As palavras são coisas curiosas.

Ele encontrara a caderneta. Ordenou de forma categórica que Winnie saísse da sala. Dez minutos depois ele levantou os olhos, alarmado por uma exclamação aguda.

– Alan!

– Olá, Isobel. Não ouvi você entrar. Olhe aqui, não consigo comprovar esses itens na sua caderneta do banco.

– Por que você está mexendo na minha caderneta do banco?

Ele olhou para ela, boquiaberto. Ela estava furiosa. Nunca a havia visto furiosa antes.

– Eu não imaginava que você fosse se incomodar.

– Pois me incomodo... realmente me incomodo muito. Você não tem o direito de mexer nas minhas coisas.

De repente, Alan também se enfureceu.

— Me desculpe. Mas já que eu mexi nas suas coisas, talvez você possa me explicar uma ou duas entradas intrigantes. Pelo que vejo, quase quinhentas libras foram depositadas na sua conta este ano, o que não confere com as minhas contas. De onde veio esse dinheiro?

Isobel havia recobrado a calma. Ela se afundou em uma cadeira.

— Você não precisa ser tão cerimonioso quanto a isso, Alan — ela disse alegremente. — Não se trata de dinheiro oriundo do pecado, ou algo do gênero.

— De onde veio esse dinheiro, então?

— De uma mulher. Uma amiga sua. Nada disso é para mim. É para Winnie.

— Winnie? Você quer dizer que esse dinheiro é de Jane?

Isobel assentiu com a cabeça.

— Ela é muito afeiçoada à menina. Não se cansa de fazer coisas por ela.

— Sim, mas... esse dinheiro deve de fato ser investido para Winnie.

— Oh! Não é esse tipo de investimento, de maneira nenhuma. É para despesas correntes, roupas e coisas do tipo.

Alan não disse nada. Pensava nos vestidos de Winnie — só remendos e retalhos.

— Sua conta também está negativa, Isobel?

— Está? Isso está sempre acontecendo comigo.

— Sim, mas aquelas quinhentas libras...

— Meu querido Alan. Eu as gastei com Winnie da maneira que me pareceu mais adequada. Posso garantir a você que Jane está bastante satisfeita com o investimento.

Alan *não* estava satisfeito. No entanto, tamanho era o poder da calma de Isobel que ele não disse mais nada. Afinal de contas, Isobel era muito desatenta quando se tratava de dinheiro. Ela não teve a intenção de usar para si o dinheiro dado à filha. O recibo de uma conta chegou a casa naquele dia, endereçado por engano para o sr. Everard. Era de uma costureira em Hanover Square, e o valor era de duzentas e tantas libras. Ele entregou-o a Isobel sem dizer palavra. Ela deu uma olhadela na conta, sorriu e disse:

– Pobrezinho, suponho que isso pareça muito dinheiro para você, mas uma mulher *precisa* se vestir decentemente.

No dia seguinte, ele foi ver Jane.

Jane estava irritante e evasiva como de costume. Ele não estava disposto a se incomodar. Winnie era sua afilhada. Mulheres entendiam dessas coisas, homens não. Era claro que ela não queria gastar quinhentas libras em vestidos para Winnie. Será que ele poderia deixar que ela e Isobel cuidassem desse assunto? Elas se entendiam perfeitamente.

Alan partiu num estado de crescente insatisfação. Ele sabia muito bem que havia se esquivado da única pergunta que realmente queria fazer: "Isobel alguma vez pediu a você dinheiro para Winnie?". Não fez a pergunta, pois temia que Jane pudesse não mentir com a convicção necessária para convencê-lo.

Mas ele estava preocupado. Jane era pobre. Ele sabia que ela era pobre. Ela não devia – não devia despojar-se do seu dinheiro. Ele decidiu que iria falar com Isobel. Isobel foi muito calma e sensata. É claro que não deixaria Jane gastar mais do que podia.

Um mês depois, Jane morreu.

Morreu de gripe, seguida de pneumonia. Ela fez de Alan seu testamenteiro e deixou tudo o que tinha para Winnie. Mas não era muita coisa.

Alan ficou encarregado de examinar os papéis de Jane. Ela havia deixado um registro com instruções muito claras a serem seguidas, além de numerosas demonstrações de seus atos de bondade, cartas com pedidos, cartas com agradecimentos.

Por fim ele encontrou seu diário. Junto dele estava um pedaço de papel: "Para ser lido após a minha morte por Alan Everard. Ele me repreendia com frequência por não falar a verdade. A verdade está toda aqui".

Foi então que ele finalmente soube, descobrindo ali, naquele pedaço de papel, a única ocasião em que Jane havia ousado ser honesta. Era um registro, muito simples e espontâneo, do amor dela por ele.

Havia muito pouco sentimentalismo – nada de linguagem rebuscada. Mas não havia dúvida quanto aos fatos.

> *Eu sei que você se irrita comigo quase sempre. Por vezes, tudo o que eu digo ou faço parece deixá-lo enfurecido. Não sei por que tem que ser assim, pois eu me empenho tanto em agradá-lo, mas eu acredito, mesmo assim, que eu tenha alguma importância real para você. Ninguém se zanga com pessoas que não lhe importam.*

Não foi culpa de Jane o fato de Alan ter encontrado outras coisas. Jane era leal – mas também era descuidada; enchia demais suas gavetas. Ela havia, pouco antes de sua morte, queimado, por zelo, todas as cartas de Isobel. A carta que Alan encontrou estava presa atrás de uma gaveta. Depois de lê-la, os significados de certas marcas cabalísticas nos canhotos do talão de cheques de Jane ficaram claros para ele. Nessa carta em particular, Isobel sequer tinha se dado o trabalho de manter a desculpa de que o dinheiro seria para Winnie.

Alan permaneceu em frente à escrivaninha por um bom tempo, olhando fixamente para fora da janela sem enxergar nada. Por fim, colocou o talão de cheques no bolso e deixou o apartamento. Caminhou de volta até Chealsea, ciente de uma raiva que se tornava cada vez mais forte.

Isobel estava do lado de fora quando ele chegou, e ele lamentou o fato. Tinha muito claro em sua mente tudo o que queria lhe dizer. Acabou subindo para o estúdio e pegando o retrato inacabado de Jane. Colocou-o num suporte ao lado do retrato de Isobel em cetim cor-de-rosa.

A sra. Lemprière estava certa: havia vida no retrato de Jane. Ele olhou para ela, os olhos ávidos, a beleza que ele havia tentado tão inutilmente lhe negar. Aquela era Jane – a *vivacidade*, mais do que qualquer outra coisa, era Jane. Era ela, pensou, a pessoa mais viva que ele havia conhecido, tanto que, nem mesmo agora ele conseguia pensar que ela estava morta.

E ele pensou em seus outros quadros – *Cor, Romance, sir Rufus Herschman*. Todos tinham sido, de certo modo, retratos de Jane. Ela havia acendido a chama de cada um deles – deixando-o irritado e aflito – para *mostrar* a ela! E agora? Jane estava morta. Ele conseguiria pintar um quadro – um quadro verdadeiro – outra vez? Olhou de novo para o ávido rosto na tela. Talvez. Jane não estava tão longe.

Um som fez com que ele girasse o corpo. Isobel havia entrado no estúdio. Ela estava vestida para o jantar. Trajava um vestido todo branco que realçava o incrível dourado de seus cabelos.

Ela parou de repente e conteve as palavras em seus lábios. Observando-o cuidadosamente, foi até o divã e se sentou. Aparentava calma.

Alan tirou o talão de cheques do bolso.

– Eu estava mexendo nos papéis de Jane.

– Sim?

Ele tentou imitar a calma dela, para evitar que sua voz saísse trêmula.

– Bem, nos últimos quatro anos ela vinha dando dinheiro a você.

– Sim. Para Winnie.

– Não, não era para Winnie – gritou Everard. – Vocês fingiam, vocês duas, que era para Winnie, mas as duas sabiam que não era verdade. Você percebe que Jane estava vendendo seus títulos, vivendo na miséria para que você comprasse roupas? Roupas que você nem ao menos precisava?

Isobel não tirou os olhos do rosto dele nem por um instante. Acomodou o corpo sobre as almofadas como faria um gato persa.

– Não posso fazer nada se Jane se despojou de mais do que podia – ela disse. – Pensava que ela pudesse dispor desse dinheiro. Ela sempre foi louca por você, eu percebia isso, claro. Algumas esposas teriam feito muito barulho por você estar sempre correndo para vê-la, passando horas por lá. Eu não fiz isso.

– Não – disse Alan, com o rosto muito pálido. – Em vez disso você fez com que ela pagasse.

– Você está dizendo coisas muito ofensivas, Alan. Tome cuidado.

– Não é a pura verdade? Por que era tão fácil para você tirar dinheiro de Jane?

– Não era por amor a mim, certamente. Devia ser por amor a você.

– Era isso mesmo – disse Alan. – Ela pagava pela minha liberdade... liberdade de trabalhar à minha maneira. Contanto que você tivesse dinheiro suficiente, me deixaria em paz... sem me atormentar para que eu pintasse uma porção de mulheres horrendas.

Isobel não disse nada.

– E então? – gritou Alan, furioso.

A tranquilidade dela o enraivecia.

Isobel estava olhando para o chão. Em um instante ela levantou a cabeça e disse com calma:

– Venha aqui, Alan.

Ela tocou no divã ao seu lado. Incomodado e relutante, ele foi até o divã e se sentou, sem olhar para ela. Mas ele sabia estar com medo.

– Alan – disse Isobel de imediato.

– E então?

Ele estava irritado, nervoso.

– Tudo o que você está dizendo pode até ser verdade. Não tem importância. Eu sou assim. Eu desejo ter certas coisas: roupas, dinheiro, você. *Jane está morta*, Alan.

– O que você quer dizer com isso?

– Jane está morta. Agora você é só meu. Você nunca foi só meu antes... não exatamente.

Ele olhou para ela, viu o brilho em seus olhos: aquisitivo, possessivo – estava revoltado e ao mesmo tempo fascinado.

– Agora você será todo meu.

Naquele momento ele entendeu Isobel como nunca havia entendido antes.

– Você me quer como um escravo? Devo pintar o que você me diz para pintar, viver como você me diz para viver, sempre debaixo de sua asa.

– Ponha as coisas dessa maneira se quiser. O que são palavras?

Ele sentiu os braços dela ao redor do seu pescoço, brancos, lisos, firmes como uma parede. Palavras dançavam em seu cérebro. "Uma parede branca como leite." Ele já estava dentro da parede. Ainda poderia escapar? Ele queria escapar?

Sentiu a voz dela bem perto da sua orelha – mandrágora e papoula.

– Que outra razão há para viver? Isso não é o bastante? Amor... felicidade... sucesso... amor.

A parede estava agora crescendo ao redor dele – "a cortina macia como seda", a cortina envolvendo-o, sufocando-o de leve, mas tão suave, tão agradável! Agora eles flutuavam juntos, em paz, à deriva no mar de cristal. A parede agora estava muito alta, afastando todas as outras coisas – aquelas coisas perigosas, importunas, que doem; que sempre doem. À deriva no mar de cristal, o pomo dourado entre as suas mãos.

A luz se esvaiu do retrato de Jane.

O MISTÉRIO DA ARCA ESPANHOLA

Pontual, como sempre, Hercule Poirot entrou no pequeno aposento onde a srta. Lemon, sua eficiente secretária, esperava por suas instruções quanto aos afazeres do dia.

À primeira vista, a srta. Lemon parecia ser inteiramente composta de ângulos – satisfazendo, portanto, a necessidade de simetria cultivada por Poirot.

Não que Poirot levasse ao extremo sua paixão pela precisão geométrica no que diz respeito às mulheres. Pelo contrário, ele era um homem à moda antiga. Não compactuava com o preconceito inglês contra curvas – curvas voluptuosas, por assim dizer. Ele gostava de mulheres femininas. Gostava que fossem viçosas, coradas, exóticas. Houve uma vez uma certa condessa russa... mas isso foi muito tempo atrás. Uma aventura da juventude.

Mas ele nunca vira a srta. Lemon como uma mulher. Ela era uma máquina humana, um instrumento de precisão. Sua eficiência era assombrosa. Ela tinha 48 anos de idade e tinha a sorte de não possuir imaginação nenhuma.

– Bom dia, srta. Lemon.

– Bom dia, *monsieur* Poirot.

Poirot sentou-se, e a srta. Lemon colocou à frente dele a correspondência da manhã, destramente organizada em categorias. Ela puxou sua cadeira e se sentou, já com bloco e caneta à mão.

Mas haveria, nesta manhã, uma pequena mudança na rotina.

Poirot trouxera consigo o jornal matinal, e seus olhos percorriam as páginas com interesse. As manchetes eram grandes e audaciosas. "MISTÉRIO DA ARCA ESPANHOLA. ÚLTIMAS REVELAÇÕES."

– Já leu os jornais da manhã, não é, srta. Lemon?

– Sim, sr. Poirot. As notícias de Genebra não estão muito boas.

Poirot recusou as notícias de Genebra com um amplo movimento de braço.

– Uma arca espanhola – ele refletiu. – A senhorita pode me dizer, srta. Lemon, o que é exatamente uma arca espanhola?

– Creio, *monsieur* Poirot, que seja uma arca originária da Espanha.

– Essa é uma suposição sensata. Logo, a senhorita não tem nenhum conhecimento específico sobre o assunto?

– Elas costumam ser do período elisabetano, creio eu. Grandes e adornadas com muito bronze. Elas têm uma aparência muito bonita quando mantidas bem polidas. Minha irmã comprou uma dessas num mercado. Ela guarda roupas de cama dentro dela. É muito bonita.

– Estou certo de que na casa de qualquer irmã sua toda a mobília deve ser muito bem cuidada – disse Poirot curvando-se graciosamente.

A srta. Lemon respondeu tristemente dizendo que os empregados de hoje em dia já não sabiam o que *era* trabalho árduo. Poirot ficou um pouco desconcertado com a expressão, mas decidiu não fazer perguntas.

Baixou de novo os olhos para o jornal, lendo com atenção os nomes: o major Rich, o sr. e a sra. Clayton, o comandante de navio MacLaren, o sr. e a sra. Spence... Para ele eram nomes, nada mais que nomes. No entanto, todos eles pertenciam a pessoas, que odiavam, amavam, temiam... Hercule Poirot não tinha nenhum papel naquele drama. Mas como gostaria de ter! Seis pessoas em uma festa, em uma sala que continha uma grande arca espanhola apoiada contra a parede; seis pessoas, cinco das quais falavam, comiam uma refeição de pratos frios, colocavam discos no gramofone, dançavam, e a sexta estava *morta*, dentro da arca espanhola.

"Ah", pensou Poirot, "como isso interessaria ao meu amigo Hastings! Como isso teria feito sua imaginação voar! Que observações mais absurdas teria feito! Ai, *ce cher* Hastings! Hoje, aqui, neste momento, que saudades... No seu lugar..."

Suspirou e olhou para a srta. Lemon. A srta. Lemon, dando-se conta de que Poirot não estava de humor para ditar cartas, havia destapado a máquina de escrever e esperava o momento de retomar um trabalho atrasado. Não lhe interessavam nem um pouco as sinistras arcas espanholas com seus cadáveres dentro.

Poirot suspirou e olhou uma fotografia no jornal. As fotografias dos jornais nunca eram muito boas e aquela estava muito borrada, mas que rosto! *A sra. Clayton, esposa da vítima...*

Obedecendo a um impulso repentino, estendeu o jornal à srta. Lemon.

– Olhe – ele lhe disse. – Olhe esse rosto.

A srta. Lemon o olhou, obediente, sem mostrar a menor emoção.

– Que lhe parece, srta. Lemon? É a sra. Clayton.

A srta. Lemon apanhou o jornal, olhou a fotografia com indiferença e observou:

– Se parece um pouco com a mulher do gerente do nosso banco, quando vivíamos em Croydon Heath tempo atrás.

– Interessante – disse Poirot. – Me conte, por obséquio, a história da mulher desse gerente.

— Bem, não é o que se pode chamar de uma história muito agradável, *monsieur* Poirot.

— Estava pensando que não seria mesmo. Continue.

— Houve muito fofoca... envolvendo a sra. Adams e um jovem artista. Logo depois o sr. Adams se suicidou. Mas a sra. Adams não quis se casar com o outro homem e então ele tomou veneno... Mas ninguém se importou. Por fim a sra. Adams se casou com um jovem advogado. Creio que depois disso houve mais desgraças, mas nós, claro, havíamos ido embora de Croydon Heath eu já não soube mais notícias deles.

Poirot mexeu a cabeça, com expressão grave.

— Era bonita?

— Não precisamente bonita. Mas parece que tinha algo...

— Exato. O que é, afinal, esse algo que possuem as sereias da história? As Helenas de Troia, as Cleópatras?

A srta. Lemon, bastante decidida, colocou uma folha de papel na máquina.

— Francamente, *monsieur* Poirot, nunca me ocorreu pensar nisso. Me parecem tolices, nada mais. Se as pessoas se ocupassem de seu trabalho, em vez perder tempo pensando nessas coisas, tudo seria muito melhor.

Tendo dito a última palavra sobre a fragilidade e a paixão humanas, a srta. Lemon colocou as mãos sobre o teclado, esperando com impaciência que lhe permitissem começar seu trabalho.

— Esse é o seu ponto de vista – disse Poirot. – Neste momento deseja que eu *a deixe trabalhar*. Mas seu trabalho, srta. Lemon, não consiste somente em anotar minhas cartas taquigraficamente, arquivar meus papéis, atender minhas chamadas telefônicas e escrever à máquina minhas cartas. A senhorita faz tudo isso de modo irreprochável. Mas eu não lido só com documentos, lido também com seres humanos. E também neste terreno necessito de sua ajuda.

– Naturalmente, *monsieur* Poirot – disse a srta. Lemon, armando-se de paciência. – O que o senhor quer que eu faça?

– Este assunto me interessa. Gostaria que a senhorita me fizesse um estudo contendo todas as informações que trazem os jornais matutinos e qualquer outra matéria relacionada que saia nos vespertinos. Faça-me um resumo dos fatos.

– Muito bem, *monsieur* Poirot.

Poirot se retirou para sua sala de estar, sorrindo de modo triste.

"É uma ironia", pensou, "que, depois de meu querido amigo Hastings, tenha aqui comigo a srta. Lemon. Poderia alguém imaginar maior contraste? *Ce cher* Hastings... como teria caminhado de lá pra cá, falando do assunto, interpretando do modo mais romântico todos os incidentes, acreditando nas notícias que os jornais publicam do caso como se fosse o próprio Evangelho! Em contrapartida, a pobre srta. Lemon não se divertirá nem um pouquinho com o que a mandei fazer!"

A seu devido tempo, a srta. Lemon se aproximou com uma folha escrita à máquina.

– Tenho a informação que queria, *monsieur* Poirot. Porém, preciso lhe dizer que não é muito digna de crédito. As reportagens dos jornais variam muito. Não poderia garantir a exatidão de mais de sessenta por cento da informação.

– Seu cálculo, provavelmente, peca por moderado – murmurou Poirot. – Obrigado por seu trabalho, srta. Lemon.

Os fatos eram sensacionais, mas muito claros. O major Rich, solteiro e rico, havia convidado alguns amigos para uma festa à noite em seu apartamento. Esses amigos eram o sr. e a sra. Clayton, o sr. e a sra. Spence e um tal

MacLaren, comandante de navio. O comandante MacLaren era amigo de longa data de Rich e dos Clayton. O sr. e a sra. Spence, casados há pouco, eram amigos bastante recentes. Arnold Clayton era funcionário da Fazenda. Jeremy Spence tinha um cargo de pouca importância em um órgão do Estado. O major Rich tinha 48 anos; Arnold Clayton, 55; Jeremy Spence, 37; o comandante MacLaren, 46. Segundo as informações, a sra. Clayton era "muitos anos mais jovem que seu marido". Um dos convidados não pôde comparecer à festa. No último momento, o sr. Clayton teve que ir à Escócia, requisitado por um assunto urgente, que o obrigaria a tomar o trem das 20h15 na estação King's Cross.

A festa transcorreu como costuma transcorrer esse tipo de festa. Todo mundo parecia se divertir. Não houve excessos nem bebedeiras. Terminou às 23h45 aproximadamente. Os quatro convidados partiram juntos e compartilharam um táxi. Primeiro deixaram o comandante MacLaren em seu clube, e logo depois os Spence deixaram Margharita Clayton em Cardigan Garden, muito perto de Sloane Square, e seguiram para sua casa em Chelsea.

Na manhã seguinte, o criado do major Rich, William Burgess, fez a terrível descoberta. O criado não vivia na casa. Chegou cedo para arrumar o salão, antes de levar ao major Rich o primeiro chá da manhã. Enquanto estava limpando a sala, Burgess se sobressaltou ao ver uma mancha grande no tapete de cor clara sobre o qual jazia a arca espanhola. Parecia haver escorrido da arca. O criado levantou imediatamente a tampa do móvel e olhou para dentro. Horrorizado, viu no interior da arca o corpo do sr. Clayton, com um estilete cravado no pescoço.

Obedecendo ao primeiro impulso, Burgess saiu correndo para a rua e chamou o primeiro policial que encontrou.

Esses eram os fatos puros e simples. Mas havia mais detalhes. Em pouco tempo, a polícia já havia dado a notícia à sra. Clayton, que ficara "completamente consternada". Havia visto seu marido pela última vez um pouco antes das seis da tarde do dia anterior. Clayton havia chegado em casa muito irritado porque reclamavam sua presença com urgência na Escócia para resolver um assunto relacionado com uma propriedade sua. Havia insistido para que sua mulher fosse à festa sem ele. O sr. Clayton fora ao seu clube, que era também o do comandante MacLaren, tomara uma bebida com seu amigo e lhe explicara o que estava acontecendo. Logo, consultando o relógio, dissera que tinha tempo apenas para dar uma passada na casa do major Rich, no caminho para King's Cross, para lhe explicar a situação. Havia tentado telefonar, mas, ao que parece, o telefone estava estragado.

Segundo a declaração de William Burgess, o sr. Clayton tinha chegado à casa por volta das 19h55. O major Rich havia saído, mas estava para chegar a qualquer momento, o que fez com que Burgess propusesse ao sr. Clayton que entrasse para esperar seu patrão. Clayton disse que não tinha tempo, mas que entraria e escreveria um bilhete. Explicou a Burgess que ia tomar um trem em King's Cross. O criado o introduziu no salão e voltou para a cozinha, onde estava preparando uns canapés para a festa. O criado não ouviu seu senhor chegar, mas, uns dez minutos mais tarde, o major Rich assomou a cabeça na cozinha e disse a Burgess que fosse correndo comprar uns cigarros turcos, que eram os preferidos da sra. Spence. O criado obedeceu e foi buscar os cigarros para o seu senhor. O sr. Clayton não estava lá, mas o criado, naturalmente, pensou que ele já tinha ido para a estação tomar o trem.

A versão do major Rich era breve e simples. O sr. Clayton não estava no apartamento quando ele chegara e não havia se inteirado da viagem do sr. Clayton à Escócia até que a sra. Clayton e os demais convidados tivessem chegado.

Nos jornais da tarde, havia mais duas novidades. A sra. Clayton, que estava "completamente prostrada", havia deixado seu apartamento em Cardigan Gardens e, pelo que se acreditava, devia estar na casa de amigos.

A segunda era uma notícia de "última hora". O major Rich havia sido acusado pelo assassinato de Arnold Clayton e por essa razão estava preso.

– E isso é tudo – disse Poirot, olhando para a srta. Lemon. – A prisão do major Rich era previsível. Mas que caso extraordinário! Que extraordinário! Não lhe parece?

– Essas coisas acontecem, *monsieur* Poirot – respondeu a srta. Lemon, com desinteresse.

– Ah, sim! Acontecem todos os dias. Ou quase todos os dias. Mas, em regra geral, ainda que lamentáveis são bastante compreensíveis.

– Sim, pode-se ver desde já que a questão parece muito desagradável.

– Que alguém seja morto à punhalada e que o enfiem em uma arca espanhola é muito desagradável para a vítima, com certeza, sumamente desagradável. Mas quando digo que este é um caso extraordinário, me refiro à extraordinária atitude do major Rich.

A srta. Lemon, com certa repugnância, se manifestou:

– Parece que andam insinuando que o major Rich e a sra. Clayton eram mais do que bons amigos... É somente uma insinuação, não um fato comprovado; por isso não o incluí.

– Fez muito bem, senhorita. Mas é uma suposição que salta à vista. Não tem mais nada a dizer?

A srta. Lemon ficou desconcertada. Poirot suspirou e lamentou a falta da imaginação viva e dramática de seu amigo Hastings. A discussão de um assunto com a srta. Lemon se revelava deveras penoso.

– Pense por um momento nesse major Rich. Está apaixonado pela sra. Clayton; concedido. Quer se livrar do marido; concedido também. Se bem que, se a sra. Clayton está apaixonada por ele e os dois são amantes, não vejo o porquê da urgência. Será que o sr. Clayton não quer dar o divórcio à sua mulher? Mas não é disso que estou falando. O major Rich é um militar reformado, e se diz às vezes que os militares não têm muita inteligência... Mas, *tout de même*, esse major Rich não é, não pode ser um completo imbecil?

A srta. Lemon não respondeu, pensando se tratar de uma pergunta puramente retórica.

– E então – disse Poirot. – O que a *senhorita* pensa de tudo isso?

– O que eu penso? – sobressaltou-se a srta. Lemon.

– *Mais oui*, a senhorita!

A srta. Lemon adaptou seu cérebro ao esforço que dele era exigido. Não se entregava a especulação mental de nenhum tipo, a menos que lhe pedissem. Em seus poucos momentos de lazer, seu cérebro era preenchido com os detalhes de um superlativo e perfeito sistema de arquivos. Esse era seu único recreio mental.

– Bem... – começou e se deteve.

– Diga-me o que aconteceu, o que a senhorita acredita que aconteceu naquela noite. O sr. Clayton está no salão, escrevendo um bilhete. Chega o major Rich... e então o que acontece?

– Encontra o sr. Clayton ali. Suponho... suponho que lutam. O major Rich o apunhala. Assim que percebe o que fez, bem... enfia o cadáver na arca. É preciso levar em conta que os convidados podiam chegar a qualquer momento.

– Sim, sim. Chegam os convidados! O cadáver está na arca. A noite avança. Os convidados vão embora. E então...

– Creio que o major Rich vai para a cama e... Ah!

– Ah! – repetiu Poirot. – Agora a senhorita se dá conta. O sujeito matou um homem e escondeu o corpo dele numa arca. E então... vai tranquilamente para a cama, sem que se preocupar em absoluto com o fato de que seu criado vá descobrir o crime pela manhã.

– Não haveria a possibilidade de que o criado não olhasse dentro da arca? Pode ser que o major Rich não tenha se dado conta de que havia manchas de sangue.

– Não lhe parece que foi um tanto desleixado ao não olhar?

– Estaria absorto pela emoção – sugeriu a srta. Lemon.

Poirot levantou as mãos, desesperado.

A srta. Lemon aproveitou a oportunidade para sair correndo da sala.

O mistério da arca espanhola não era, estritamente falando, assunto de Poirot. Estava naquele momento ocupado em uma delicada missão para uma importante companhia petrolífera, da qual um dos magnatas parecia estar envolvido em uma questão duvidosa. Era tudo muito secreto, importante e extremamente lucrativo. Era uma trama bastante complicada, que merecia a atenção de Poirot e tinha a grande vantagem de requerer pouquíssima atividade física. Crime no seu mais alto nível: refinado e sem sangue.

O mistério da arca espanhola era dramático e emocionante, duas qualidades que, como Poirot havia dito muitas vezes a Hastings, eram apreciadas com muito exagero – como costumava fazer o último. Havia sido sempre muito severo com *ce cher Hastings* a esse respeito, e agora ele estava reagindo de modo bastante similar a como teria reagido seu amigo: estava obcecado pelas mulheres bonitas, pelos crimes passionais, ciúme, ódio e todos os demais motivos dos crimes românticos! Queria saber todos os detalhes daquele caso. Queria saber como era o major Rich, como era Burgess, seu criado, como era Margharita Clayton (ainda que acreditasse sabê-lo), como havia sido o falecido Arnold Clayton (já que, segundo ele, a personalidade da vítima era fator importantíssimo em um assassinato) e inclusive como eram o comandante MacLaren, o amigo fiel, e o senhor e a senhora Spence, os amigos recentes.

E não sabia exatamente como poderia satisfazer a sua curiosidade!

Mais tarde, no mesmo dia, pôs-se a pensar no assunto.

Por que aquele caso o intrigava tanto? Depois de refletir, chegou à conclusão de que o intrigava porque, julgando os acontecimentos pelos jornais, a coisa toda era mais ou menos impossível. Sim, havia ali um problema muito difícil, com um sabor euclidiano.

Partindo do que se podia aceitar, dois homens haviam lutado. A causa, provavelmente, uma mulher. Em um rompante, um homem matou o outro. Sim, isso havia ocorrido... ainda que fosse mais natural que o marido tivesse matado o amante. Ainda assim... o amante havia matado o marido, cravando-lhe uma adaga (?)... uma arma pouco comum. Seria a mãe do major Rich italiana? Tinha que haver uma razão para a escolha de uma adaga (alguns jornais diziam se tratar de um estilete!) Estava à mão e foi utilizada. O corpo foi escondido dentro da arca. Isso era ponto pacífico e inevitável. O crime não havia sido premeditado e, como o criado estava para voltar a qualquer momento e os quatro convidados não tardariam a chegar, não parecia ter restado outra alternativa.

Terminada a festa, os convidados se retiraram, o criado já havia ido embora... e... o major Rich vai para a cama!

Para entender como ele pode ter agido dessa maneira, é preciso ver o major Rich e averiguar que tipo de homem é capaz de fazer isso.

Seria possível que, dominado pelo horror do que havia feito e pela tensão de estar durante toda a noite tratando de parecer normal, ele tivesse tomado algum sonífero ou sedativo e dormido pacificamente até mais tarde do que o de costume? Sim. Ou seria – um prato cheio para um psicólogo – um caso em que a culpa subconsciente do major Rich *desejasse* que o crime fosse descoberto? Para chegar a uma conclusão nesse ponto, era preciso ver o major Rich. Era como andar em cír...

O telefone tocou. Poirot o deixou soar por algum tempo, até que se deu conta de que a srta. Lemon já havia partido há algum tempo, depois de levar a correspondência para ele assinar, e que provavelmente George também já havia saído.

Apanhou o fone.

– *Monsieur* Poirot?

– Ele mesmo!

– Oh, esplêndido! – Poirot pestanejou ligeiramente ante o fervor da encantadora voz feminina. – Aqui é Abbie Chatterton.

– Ah, lady Chatterton! Em que posso ajudá-la?

– Venha o mais rápido que puder a um espantoso coquetel que estou oferecendo. Não é precisamente pelo coquetel, na realidade é para algo completamente diferente. Preciso do senhor. É de importância vital. Por favor, *por favor, por favor*, não me abandone. Não me diga que não pode.

Poirot não ia dizer nada semelhante. Lord Chatterton, à parte ser par do reino e pronunciar de quando em quando um discurso muito maçante na Câmara dos Lordes, não era nada especial. Mas lady Chatterton era uma das personalidades mais brilhantes do que Poirot chamava *le haut monde*. Tudo o que dizia ou fazia era notícia. Possuía inteligência, beleza, originalidade e vitalidade suficientes para lançar um foguete à lua.

Ela continuou:

– *Preciso* do senhor. Dê uma retorcidinha nesse seu maravilhoso bigode e venha!

As coisas não foram assim tão rápidas. Poirot teve primeiro que se arrumar meticulosamente. Deu uma retocada nos bigodes e se pôs a caminho.

A porta da encantadora casa de lady Chatterton na Rua Cherlton estava entreaberta e de dentro saía um ruído como de animais amontoados em um zoológico. Lady Chatterton, que atraía a atenção de dois embaixadores, um jogador internacional de rúgbi e um evangelista americano, livrou-se deles como em um passe de mágica e, no momento seguinte, estava ao lado de Hercule Poirot.

– *Monsieur* Poirot, que maravilha voltar a vê-lo! Não, não tome esse martíni horroroso. Tenho algo especial para o senhor... uma espécie de sir*op* que os xeiques bebem no Marrocos. Está lá em cima, na minha salinha de estar.

Seguiu em direção à escada e subiu, sendo acompanhada por Poirot. Lady Chatterton se deteve para dizer por sobre o ombro:

– Não mandei essas pessoas embora porque é essencial que ninguém se inteire de que algo de extraordinário acontece aqui. Prometi aos criados gordas gratificações para que a informação não vazasse. Não é agradável ter a casa invadida por jornalistas. E, além disso, a pobrezinha já passou por maus bocados.

Lady Chatterton não se deteve no patamar do primeiro andar, seguindo até o segundo.

Ofegante e um pouco desconcertado, Poirot continuou atrás dela.

Lady Chatterton se deteve, lançou um rápido olhar por cima do corrimão da escada e abriu uma porta, exclamando:

– Aqui está ele, Margharita! Aqui está ele!

Chegou para o lado, em uma atitude triunfal, para deixar Poirot passar, e logo fez uma rápida apresentação.

– Esta é Margharita Clayton. Uma amiga muito, muito querida. O senhor a ajudará, não é verdade? Margharita, este é o maravilhoso Hercule Poirot. Ele fará tudo o que você quiser... fará, não é, meu caro *monsieur* Poirot?

E sem esperar pela resposta que já esperava de antemão (não à toa lady Chatterton havia sido por toda sua vida uma beleza mimada), saiu precipitadamente do quarto e depois escada abaixo, dizendo-lhes em voz alta, sem nenhuma descrição:

– Tenho que voltar para junto dessa gente tão horrível...

A mulher, que estava sentada em uma poltrona junto à janela, se levantou e se aproximou de Poirot. Teria reconhecido lady Chatterton ainda que ela não houvesse mencionado o seu nome. Ali estava aquela testa ampla, muito ampla, os cabelos escuros que lhe desciam em profusão como se fossem asas, os olhos cinzentos, muito separados... Usava um vestido negro e justo, de pescoço alto, que ressaltava a beleza de seu corpo, a brancura de magnólia de sua pele. Era um rosto original, mais do que meramente bonito, um desses rostos de proporções estranhas que se veem às vezes nos primitivos pintores italianos. Tinha uma espécie de simplicidade medieval, uma inocência incomum que, pensou Poirot, podia causar mais estragos que a voluptuosidade mais refinada. Quando falou, foi com uma espécie de candor infantil.

– Abbie me disse que o senhor vai me ajudar...

Olhou-o com uma expressão grave e interrogante.

Durante um momento, Poirot permaneceu imóvel, examinando-a com grande atenção. Na atitude de Poirot não havia o menor sinal de impertinência. Seu olhar, amável ainda que inquisitivo, assemelhava-se mais ao de um médico famoso que recebesse um paciente pela primeira vez.

– Tem certeza, *madame*, de que *posso* ajudá-la? – disse por fim Poirot.

As faces de Margharita Clayton ficaram ligeiramente vermelhas.

– Não estou entendendo.

– O que a senhora quer que eu faça, *madame*?

– Ah – parecia surpreendida. – Achei... que sabia quem eu era.

– Sei quem é a senhora. Seu marido foi assassinado, apunhalado, e prenderam um tal major Rich, acusando-o do crime.

O rubor se fez mais violento.

– O major Rich *não* matou meu marido.

Rápido como uma centelha, Poirot perguntou:

– Por que não?

Ela ficou olhando para ele, perplexa:

– Como... O que o senhor está dizendo?

– Deixei-a desconcertada porque não lhe perguntei o que todo o mundo pergunta: a polícia, os advogados... "Por que o major Rich mataria Arnold Clayton?" Mas eu pergunto justamente o contrário. Eu lhe pergunto, senhora, por que está tão segura de que o major Rich *não* matou seu marido?

– Porque – fez uma breve pausa –, porque conheço muito bem o major Rich.

– Conhece muito bem o major Rich – repetiu Poirot, em uma voz desprovida de entonação.

Depois de uma breve pausa, perguntou vivamente:
— Até que ponto?

Poirot não saberia dizer se ela havia compreendido ou não o que ele quisera dizer. "Esta mulher é muito simples ou muito sutil", disse para si mesmo. "Muitas pessoas devem se ter perguntado, certamente, o mesmo a respeito de Margharita Clayton..."

— Até que ponto? — Margharita Clayton olhava-o, indecisa. — Faz cinco anos... não, logo fará seis.

— Não era exatamente isso o que eu queria dizer... A senhora terá que compreender que serei obrigado a lhe fazer algumas perguntas indigestas. Pode ser que diga a verdade, pode ser que minta. Às vezes as mulheres têm necessidade de mentir. Têm que se defender, e a mentira pode ser uma arma poderosa. Mas há três pessoas para as quais uma mulher deve sempre dizer a verdade: ao seu confessor, ao seu cabeleireiro e ao seu detetive privado... Se confia nele. A senhora confia em mim?

Margharita Clayton suspirou profundamente.

— Sim — disse —, confio no senhor. — E acrescentou: — Tenho que confiar no senhor.

— Muito bem. O que a senhora quer que eu faça, que encontre o assassino de seu marido?

— Sim... suponho que sim.

— Mas isso não é essencial, não é verdade? Então, o que a senhora quer é livrar o major Rich das suspeitas, certo?

Margharita Clayton afirmou vivamente com a cabeça.

— Isso... e nada além disso?

Poirot se deu conta de que a pergunta era desnecessária. Margharita Clayton era uma mulher que nunca enxergava duas coisas ao mesmo tempo.

— E agora — disse Poirot — vamos à impertinência. A senhora e o major Rich são amantes?

— O senhor quer saber se temos relações ilícitas? Não.

– Mas ele estava apaixonado pela senhora?
– Sim.
– E a senhora... estava apaixonada por ele?
– Creio que sim.
– Não parece ter muita certeza disso.
– *Tenho* certeza... agora.
– Ah! Então a senhora não amava o seu marido?
– Não.
– Sua resposta é de uma singeleza admirável. A maioria das mulheres sentiria prazer em explicar extensamente a natureza de seus sentimentos. Há quanto tempo estavam casados?
– Onze anos.
– Pode me dizer algo sobre seu marido? Que tipo de homem era?

Margharita Clayton se pôs pensativa e franziu o cenho.
– É difícil. Na realidade, não sei que tipo de homem era Arnold. Ele era muito calado, muito reservado. Não dava para saber o que pensava. Era inteligente, fique logo claro. Todo mundo o achava brilhante... em seu trabalho, quero dizer... É que ele... bem, como posso dizer isso, ele nunca falava de si mesmo.
– Ele era apaixonado pela senhora?
– Oh, sim. Devia ser. Caso contrário, não teria se importado tanto... – calou-se de súbito.
– Com os outros homens? Era isso o que a senhora ia dizer? Ele era ciumento?

Margharita Clayton disse:
– Deve ter sido. – E logo, como se acreditasse que a frase necessitava de explicação, continuou: – Às vezes passava dias sem dizer uma palavra...

Poirot meneou a cabeça, pensativo.
– É o primeiro episódio de violência que a senhora enfrentou em sua vida?

– Violência? – franziu o cenho e logo enrubesceu. – Eu... o senhor se refere àquele pobre rapaz que se deu um tiro?

– Sim – disse Poirot. – Refiro-me a algo dessa natureza...

– Não tinha ideia de que ele sentia isso por mim... Sentia pena dele. Parecia tão tímido, tão sozinho! Acho que devia ser muito neurótico. E depois disso houve dois italianos... um duelo... Foi ridículo! Ainda bem que, graças a Deus, nenhum deles morreu. E, para falar a verdade, não me importava com *nenhum* dos dois! Não cheguei nem a aparentar preocupação.

– Não. A senhora se limitava a estar lá! E, onde a senhora está, ocorrem estas coisas. Não é a primeira vez que vejo isso. *Precisamente* porque a senhora não se interessa por eles é que enlouquecem. Mas o major Rich a interessa. De modo que devemos fazer o que for possível.

Permaneceu em silêncio por um momento.

Ela o olhava, imóvel, com uma expressão grave.

– Dos personagens, que muitas vezes são o que realmente importa, passemos aos fatos concretos. Sei apenas o que saiu nos jornais. Segundo se depreende das reportagens, somente duas pessoas teriam a possibilidade de matar seu marido; somente duas pessoas poderiam tê-lo matado: o major Rich e o criado do próprio major Rich.

Ela disse com obstinação:

– *Sei* que Charles não o matou.

– Então só pode ter sido o criado. A senhora concorda com isso?

Ela disse, não muito convencida:

– Compreendo o que o senhor quer dizer...

– Mas não está convencida de que isso esteja certo?

– É que parece... fantástico?

– Contudo, é uma *possibilidade*. Não existe a menor dúvida de que seu marido foi ao apartamento, uma vez que o cadáver foi encontrado ali. Se o que diz o criado está certo, o major Rich o matou. Mas e se o que diz o criado for falso? Isso significa que o criado o matou e escondeu o cadáver dentro da arca, antes que seu patrão voltasse. Para ele era uma maneira estupenda de se desfazer do corpo. A única coisa que tinha de fazer era "ver a mancha de sangue" na manhã seguinte e "encontrar" o cadáver. As suspeitas recairiam imediatamente sobre o major Rich.

— Mas que motivo teria para matar Arnold?

— O motivo não pode estar muito óbvio, ou a polícia já o teria investigado. É possível que seu marido soubesse alguma coisa desonrosa sobre o criado e que estivesse para dizer isso ao major Rich. Alguma vez o seu marido comentou com a senhora sobre esse tal Burgess?

Ela negou com a cabeça.

— Acredita que ele lhe teria dito, se fosse esse o caso?

— É difícil saber. Pode ser que não. Arnold nunca falava muito sobre as outras pessoas. Já lhe disse que era muito reservado. Não era... nunca foi... um tipo *conversador.*

— Era um homem que guardava as coisas para si. E qual é a sua opinião sobre Burgess?

— Não se trata de um homem em quem alguém prestaria atenção. Um criado muito bom. Eficiente, mas não muito refinado.

— Que idade ele tem?

— Uns 37 ou 38 anos, calculo eu. Esteve no exército na época da guerra, mas não foi um soldado de carreira.

— Há quanto tempo trabalha para o major?

— Não faz muito. Um ano e meio, creio.

— Nunca observou nenhuma atitude estranha da parte dele em relação ao seu marido?

— Não íamos até lá com muita frequência. Não, não notei nada em especial.

– Agora me conte o que ocorreu naquela noite. Para que horas era o convite?

– Para as oito e quinze; a janta estava marcada para as oito e meia.

– E que tipo de reunião seria?

– Bem, haveria bebidas e uma espécie de bufê, em regra geral de muito boa qualidade. *Foie gras* e torradas quentes. Salmão defumado. Algumas vezes serviam um prato quente de arroz... Charles tinha uma receita especial que havia aprendido no Oriente Próximo, mas era mais adequada ao inverno. Depois costumávamos ouvir música. Charles tinha um gramofone estereofônico muito bom. Meu marido e Jock MacLaren eram apaixonados por discos de música clássica. E também púnhamos música para dançar; os Spence eram dançarinos afiados. Tratava-se disso... uma noite informal e tranquila. Charles sabia cuidar muito bem de seus convidados.

– E essa noite em particular... Foi como as demais? A senhora não percebeu nada incomum, nada fora do seu lugar?

– Fora do seu lugar? – franziu o cenho por um instante. – Quando o senhor diz isso... não, não me lembro. Havia algo...

Voltou a negar com a cabeça.

– Não. Respondendo à sua questão, não houve nada fora do comum naquela noite. Nos divertimos. Todo mundo parecia tranquilo e feliz. – Ela estremeceu. – E pensar que durante todo o tempo...

Poirot ergueu rapidamente a mão.

– Não pense. O que a senhora sabe sobre esse negócio que levou seu marido até a Escócia?

– Nada de muito relevante. Havia um desentendimento sobre as restrições para vender um terreno do meu marido. Tudo parecia já estar decidido e então apareceu uma complicação.

– Que foi que seu marido lhe disse exatamente?

– Entrou com um telegrama na mão. Até onde posso lembrar, ele disse: "Isso é uma verdadeira maçada. Terei que tomar o correio noturno para Edimburgo e ver o Johnston à primeira hora da manhã... Uma verdadeira chateação, quando tudo por fim parecia ir bem". E então acrescentou: "Quer que eu chame o Jock e lhe diga para vir te buscar?". Respondi que não era necessário, pois tomaria um táxi, e Jock ou os Spence me trariam para casa. Perguntei-lhe se queria que eu lhe preparasse uma maleta para a viagem, e ele me respondeu que ele mesmo enfiaria algumas coisas na bagagem e que comeria qualquer coisa no clube antes de apanhar o trem. Então ele partiu e... e foi a última vez em que o vi.

A voz lhe falhou um pouco ao pronunciar as últimas palavras.

Poirot a olhou fixamente.

– Ele lhe mostrou o telegrama?

– Não.

– Que pena.

– Por quê?

Poirot não respondeu à pergunta. Em vez disso, falou com vivacidade:

– Vamos ao que interessa. Quem são os representantes legais do major Rich?

Ela lhe disse e ele tomou nota do endereço.

– A senhora escreveria algumas linhas para eles e me entregaria? Quero tentar uma entrevista com o major Rich.

– Ele está... detido há uma semana.

– Naturalmente. Esse é o procedimento habitual. Poderia escrever um bilhete também ao comandante MacLaren e outro para os seus amigos, os Spence? Quero ver todos eles, e é preciso que não me batam a porta na cara.

Quando Margharita Clayton se levantou da mesa do escritório, ele disse:

– Mais uma coisa. Registrarei minhas impressões sobre o comandante MacLaren e também sobre o sr. e a sra. Spence. No entanto, quero conhecer as suas opiniões sobre eles.

– Jock é um de nossos amigos mais antigos. Conheço-o desde que era menina. Parece ser um sujeito fechado, mas na verdade é um encanto... Sempre constante, sempre alguém com quem se pode contar... Não é alegre nem divertido, mas é forte como uma torre... Tanto Arnold como eu apreciávamos muito o seu julgamento.

– E ele, também, está perdidamente apaixonado pela senhora? – os olhos de Poirot faiscaram de leve.

– Ah, sim – disse Margharita alegremente. – Sempre esteve apaixonado por mim... mas agora esse sentimento como que se tornou parte da rotina.

– E os Spence?

– São divertidos... Uma companhia muito agradável. Linda Spence é uma garota muito inteligente. Arnold gostava muito de falar com ela. Além disso, é atraente.

– São amigas?

– Ela e eu? De certa maneira. Não sei se realmente gosto dela. É maliciosa demais.

– E o marido?

– Ah, Jeremy é encantador. Gosta muito de música. Também entende bastante de pintura. Ele e eu vamos com frequência a exposições de pintura.

– Bem, logo julgarei eu mesmo. – Tomou a mão dela entre as suas. – Espero, senhora, que não se arrependa de haver pedido a minha ajuda.

– Por que haveria de me arrepender? – seus olhos se abriram muito.

– Nunca se sabe – disse Poirot misteriosamente.

Ao descer as escadas, Poirot dizia para si mesmo: "E eu... eu não sei de nada". O coquetel seguia em pleno apogeu, mas ele não se deixou envolver e ganhou a rua.

"Não", repetiu, "não sei de nada".

Estava pensando em Margharita Clayton. Aquele aparente candor infantil, aquela inocência franca: seria isso verdadeiro? Ou estaria ocultando algo? Na Idade Média houvera mulheres como aquela, mulheres sobre as quais a história jamais pôde chegar a um consenso.

Pensou em Mary Stuart, a rainha da Escócia. Sabia o que ocorreria naquela noite em Kirk-o'Field? Ou seria completamente inocente? Seria possível que os conspiradores não lhe houvessem dito nada? Seria uma dessas mulheres singelas ou infantis, capazes de lhes dizer "não sei de nada" e realmente acreditar nisso? Sentia o feitiço de Margharita Clayton. Mas não estava de todo certo sobre quem ela era...

Mulheres como aquela, ainda que inocentes, podiam ser a causa de crimes.

Mulheres como aquela podiam ser, em intenção e plano, verdadeiras criminosas, ainda que inativas.

Suas mãos jamais brandiriam a faca...

Quanto a Margharita Clayton... não... ele não sabia o que pensar.

Os representantes legais do major Rich não foram de muito auxílio para Hercule Poirot. Não esperava outra coisa. Deram a entender, sem dizê-lo, que teria sido muito mais conveniente para seu cliente que a senhora Clayton não fizesse nada para ajudá-lo.

A visita de Poirot havia sido em caráter de "cortesia". Tinha influência suficiente no Ministério do Interior e no C.I.D.* para arranjar uma entrevista com o prisioneiro

O encarregado do caso Clayton, o inspetor Miller, não era um dos preferidos de Poirot. Não entanto, não se mostrou hostil na ocasião, limitando-se a assumir um ar desdenhoso.

---

* Criminal Investigation Department, Departamento de Investigação Criminal. (N.T.)

– Não posso perder muito tempo com esse velho fracote – havia dito ao seu ajudante, antes que Poirot fosse levado à sua presença. – Apesar disso, tenho que agir com polidez.

Depois de saudar Poirot com toda cortesia, observou alegremente:

– O senhor terá que tirar algum coelho da cartola se quiser fazer algo por este aí, *monsieur* Poirot. Ninguém além de Rich *pode* ter matado aquele tipo.

– Exceto o criado.

– Certo, concedo o criado! Quer dizer, como possibilidade. Mas não vai conseguir nada nessa linha. Ele não tinha o menor motivo para matá-lo.

– Não se pode estar tão certo disso. Os motivos muitas vezes são um tanto curiosos.

– Bem, ele não tinha qualquer relação com Clayton. Tem um passado completamente limpo. E parece ter a cabeça bem centrada e ordenada. Que mais o senhor deseja?

– Quero comprovar que Rich não cometeu o crime.

– Para agradar à senhora, não é mesmo? – o inspetor Miller sorriu maliciosamente. – Ela o conquistou, certo? Que mulher, não? *Cherchez la femme* com afinco. Se tivesse tido a oportunidade, até ela mesma poderia ter matado o marido.

– De jeito nenhum!

– O senhor ficaria surpreso. Conheci, certa vez, uma mulher como essa. Livrou-se de um par de maridos sem pestanejar seus inocentes olhos azuis. E em ambas as ocasiões estava destroçada pela dor. Os jurados a teriam absolvido se tivessem a chance... mas não puderam, porque as provas contra ela eram irrefutáveis.

– Bem, meu amigo, não vamos discutir. O que me atreverei, sim, a lhe pedir é que me dê alguns detalhes sobre os fatos do caso. Os jornais publicam tudo que der notícia... mas nem sempre a verdade!

– Ora, eles têm que se divertir. Que quer que eu lhe diga?

– A hora da morte com a maior exatidão possível.

– Que não poderá ser muito precisa, porque o corpo só foi examinado na manhã seguinte. Calculou-se a morte entre dez e treze horas antes do momento do exame. Quer dizer, a hora da morte deve ser entre as sete e as dez da noite anterior... Foi golpeado na jugular... A morte deve ter sido quase instantânea.

– E a arma?

– Uma espécie de estilete italiano, bem pequeno e afiado como uma navalha. Ninguém nunca o tinha visto antes nem soube informar sua procedência. Mas estamos averiguando isso... É questão de tempo e paciência.

– A arma não podia estar ali à mão e ter sido apanhada no meio de uma briga?

– Não. O criado assegura que a arma não estava no apartamento.

– O que me interessa mesmo é o telegrama – disse Poirot. – O telegrama em que chamavam Arnold Clayton com urgência na Escócia... Era verdade que exigiam sua presença por lá?

– Não. Não havia nenhuma complicação em Edimburgo. A transferência do terreno ou o que quer que fosse, seguia o seu curso normal.

– Então quem mandou o telegrama? Será mesmo que recebeu um telegrama?

– Deve ter recebido... Não é que acreditemos de olhos fechados no que diz a sra. Clayton. Mas Clayton havia dito ao criado que recebera um telegrama da Escócia. E também disse isso ao comandante MacLaren.

– A que horas ele viu o comandante MacLaren?

– Fizeram uma refeição no Clube dos Ministérios. Isso se deu por volta das sete e quinze. Logo depois Clayton tomou um táxi até a casa de Rich e chegou ali um pouco antes das oito. Depois... – Miller estendeu as mãos em um gesto amplo.

– Alguém notou algo de estranho nas atitudes de Rich naquela noite?

– Bom, o senhor sabe como são as pessoas. Depois que ocorre algo, todo mundo acredita ter notado muitas coisas que tenho certeza de que não viram em absoluto. A sra. Spence diz agora que ele esteve *distraído* a noite inteira. Que em várias ocasiões não respondeu adequadamente. Como se "tivesse algo na cabeça". Aposto que ele tinha mesmo no que pensar, com um cadáver ali dentro da arca! Devia estar pensando em como, diabos, ia se desfazer dele!

– Por que ele não se desfez o mais rapidamente possível do corpo?

– Não sei explicar. Talvez tenha perdido a cabeça. Mas foi uma loucura deixá-lo ali até o dia seguinte. Nunca teria uma oportunidade melhor do que naquela noite. Não havia um porteiro noturno. Poderia ter pegado o carro, metido o cadáver no porta-malas... tem um porta-malas muito grande... e seguir em direção ao campo, deixando-o em algum lugar. Poderiam tê-lo visto colocar o corpo no carro, mas os apartamentos do local dão para uma rua lateral, e há um pátio onde entram os carros. Às três da manhã, por exemplo, tinha uma probabilidade grande de ter sucesso. E o que ele faz? Vai se deitar e dorme até tarde, sendo despertado pela polícia dentro de sua própria casa.

– Foi para a cama e dormiu como faria um inocente.

– Pense o senhor o que quiser. Mas realmente acredita nisso?

– Não posso responder a essa pergunta até que veja o homem com meus próprios olhos.

— Acredita que pode reconhecer um inocente apenas com um olhar? As coisas não são assim tão simples.

— Sei que não são, e nem é esse o tipo de julgamento que farei. Quero saber apenas se esse homem é tão estúpido quanto parece.

Poirot não tinha intenção de ver Charles Rich antes de ter visto a todos os demais.

Começou pelo comandante MacLaren.

MacLaren era um homem alto, de pele morena e pouco comunicativo. Tinha um rosto de feições irregulares, mas agradáveis. Era tímido e não era fácil falar com ele. Mas Poirot perseverou.

Manuseando o bilhete de Margharita, MacLaren disse, como que de má vontade:

— Bem, se Margharita quer que eu lhe diga tudo, o farei, de imediato. Ainda que eu não veja o que posso dizer de importante. O senhor já sabe de tudo. Mas o que Margharita quer... sempre fiz o que ela quis... desde os seus dezesseis anos. Essa mulher tem algo... o senhor sabe.

— Sim, eu sei — assentiu Poirot, acrescentando: — Primeiro quero que me responda com toda a franqueza a uma pergunta. O senhor acredita que o major Rich é o culpado?

— Sim, acredito. Não diria isso a Margharita, já que ela quer acreditar que ele é inocente, mas não vejo nenhuma outra possibilidade. Que diabos! Só pode ser ele o culpado.

— Havia algum ressentimento entre o major Rich e o sr. Clayton?

— Em absoluto. Arnold e Charles eram ótimos amigos. Por isso é que o assunto todo é tão extraordinário.

— Pode ser que a amizade do major Rich com a sra. Clayton...

O comandante MacLaren o interrompeu:

— Quê? Isso é tudo bobagem! Todos os jornais andam insinuando isso de modo ladino. Malditas fofocas! A sra. Clayton e Rich são bons amigos e nada mais! Margharita tem muitos amigos. *Eu* sou amigo dela. Faz muitos anos. E não há nada de oculto entre nós dois. Ocorre o mesmo entre Charles e Margharita.

— Então o senhor não acredita que os dois estivessem tendo um caso?

— Seguramente *não*! — MacLaren estava frenético. — Não dê ouvidos a essa víbora da Linda Spence. Ela é capaz de dizer qualquer coisa.

— Mas talvez o sr. Clayton pudesse suspeitar que houvesse alguma coisa entre sua mulher e o major Rich.

— Afirmo ao senhor que ele não acreditava em nada disso. Se ele tivesse acreditado, eu saberia. Entre mim e Arnold, havia muita confiança.

— Que tipo de homem ele era? O senhor o conhecia melhor do que ninguém.

— Arnold era um homem muito calado. Mas era inteligente, brilhante. Aquilo que chamam de um cérebro financeiro de primeira classe. Tinha um alto cargo no Ministério da Fazenda.

— Já me tinham dito isso.

— Lia muito. E colecionava selos. Era apaixonado por música. Não era de dançar nem gostava muito de sair.

— O senhor acha que o casamento dos dois era feliz?

O comandante MacLaren não respondeu de imediato. Parecia estar considerando profundamente a questão.

— Isso é muito difícil de saber... Sim, creio que eram felizes. Ele a amava muito, à sua maneira, claro, sem grandes demonstrações. Estou certo de que ela também o amava. Não era provável que se separassem, se é isso o que o senhor está pensando. Mas, apesar disso, não tinham muito em comum.

Poirot assentiu com um movimento de cabeça. Não seria fácil conseguir mais alguma coisa nessa linha.

– Fale-me agora da última noite – ele disse. – O sr. Clayton jantou com o senhor no clube. O que foi que ele lhe disse?

– Me disse que tinha que ir à Escócia. Parecia irritado com a ideia. A propósito, não jantamos lá. Não havia tempo. Ele comeu uns sanduíches e tomou uma bebida. Eu fiquei só na bebida. Não se esqueça que eu iria jantar fora.

– O sr. Clayton lhe falou de um telegrama?

– Sim.

– Chegou a mostrá-lo?

– Não.

– Disse que ia passar na casa de Rich?

– Não deu certeza. Achava que provavelmente não daria tempo. Ele disse: "Margharita ou você podem explicar a situação". E por fim acrescentou: "Faça com que ela chegue bem em casa, certo?". Depois disso ele se foi, de um modo bastante natural.

– Ele não suspeitava nem um pouco de que o telegrama não fosse autêntico?

– E não era? – O comandante MacLaren pareceu muito surpreendido.

– Aparentemente, não.

– Que estranho... – permaneceu pensativo, no que parecia uma espécie de coma, e logo, bruscamente, emergindo desse estado, exclamou: – Isso é mesmo muito estranho! Quer dizer, qual era o objetivo disso? Que motivo teria alguém para querer que ele fosse até a Escócia?

– É uma pergunta difícil de responder.

Hercule Poirot se despediu, deixando o comandante a dar voltas no assunto.

* * *

Os Spence viviam em uma pequena casa em Chelsea. Linda Spence recebeu Poirot com grandes demonstrações de alegria.

— Diga-me — ela disse. — Me conte *todas* as novidades de Margharita! Onde ela está?

— Não estou autorizado a dizê-lo, madame.

— Tem se escondido bem! Margharita é muito hábil para essas coisas. Mas me parece que vão chamá-la para depor em juízo, não é? Não terá como escapar disso.

Poirot olhou-a com atenção. Admitiu de má vontade que ela era atraente ao estilo moderno (o que correspondia a parecer uma órfã faminta). Não lhe agradava esse tipo de mulher. Sua cabeça era emoldurada por uma cabeleira curta, artisticamente despenteada, e um par de olhos agudos se fixavam em Poirot a partir de um rosto não muito limpo, no qual o único toque de maquiagem estava no vermelho-cereja da boca. Usava um enorme jersey de um amarelo pálido, que lhe chegava quase até os joelhos, e uma calça negra muito apertada.

— Que papel o senhor tem nessa história toda? — perguntou a senhora Spence. — Livrar o namoradinho dela dessa enrascada? É isso? Que esperança!

— Então acredita que ele é o culpado?

— Claro. Quem mais poderia ser?

"Eis o cerne do problema", pensou Poirot. Livrou-se da questão fazendo outra pergunta.

— Que lhe pareceu a atitude do major Rich na noite fatal? Como de costume? Ou diferente?

Linda Spence comprimiu os olhos, de maneira judiciosa.

— Não, não parecia o mesmo. Estava... diferente.

— Diferente em que sentido?

— Bem, claro, se alguém acaba de matar um homem a sangue frio...

— Mas a senhora não sabia então que ele acabara de matar um homem a sangue frio.

— Não, claro que não.

— Então, como poderia explicar assim sua atitude? Em que consistia, afinal, a diferença que a senhora notou?

— Bem... ele estava ausente. Ah, não sei. Mas, pensando detidamente sobre isso, cheguei à conclusão de que havia *alguma* coisa em definitivo.

Poirot suspirou.

— Quem chegou primeiro?

— Nós, Jim e eu. E logo Jock. A última foi Margharita.

— Quando se mencionou pela primeira vez a viagem à Escócia do senhor Clayton?

— Quando Margharita chegou. Disse ao Charles: "Arnold lamenta muito, mas não poderá vir, teve que ir às pressas para a Escócia, no trem da noite". Charles respondeu: "Que incomodação!". E então Jock acrescentou: "Perdão. Achei que você já sabia". Depois tomamos umas bebidas.

— O major Rich não mencionou em nenhum momento ter visto o senhor Clayton naquela noite? Não comentou que tinha passado por sua casa a caminho da estação?

— Eu não ouvi nada a respeito.

— Não lhe pareceu estranho o tal telegrama? – continuou perguntando Poirot.

— O que haveria de estranho nele?

— Era falso. Ninguém em Edimburgo sabe nada sobre o telegrama.

— Então era isso! Bem que eu tinha ficado encucada.

— A senhora tem alguma ideia sobre o telegrama?

— Me parece que salta à vista.

— O que exatamente a senhora quer dizer?

— Meu senhor, não se faça de inocente – disse Linda. – O impostor desconhecido tira o marido de campo! Aquela noite, pelo menos, não haveria obstáculos no caminho.

— A senhora quer dizer que o major Rich e a sra. Clayton planejavam passar a noite juntos?

— O senhor não ouviu falar disso?

Linda parecia se divertir.

— E o telegrama então foi mandado por um dos dois?

— Não me surpreenderia.

— A senhora acredita que o major Rich e a sra. Clayton mantinham relações amorosas?

— Digamos que não me surpreenderia. Claro, não posso afirmar nada.

— O sr. Clayton suspeitava disso?

— Arnold era um homem extraordinário. Era muito contido, não sei se o senhor me entende. Acho que sim, que ele sabia. Mas era incapaz de demonstrá-lo. Todo mundo poderia pensar que ele tinha um coração de pedra, sem nenhum tipo de sentimento. Mas estou quase certa de que no fundo ele não era assim. O mais engraçado é que teria me surpreendido muito menos se Arnold houvesse matado Charles do que o inverso. Tenho a impressão de que Arnold era, na realidade, um homem ciumentíssimo.

— Isso é interessante.

— Ainda que o mais natural fosse ter matado Margharita. *Otelo*... esse tipo de coisa. Não sei se o senhor sabe, mas Margharita faz um enorme sucesso com os homens.

— É uma mulher muito bonita — disse Poirot com moderação.

— Não é só isso. Ela tem um algo mais. Enlouquece os homens, provoca-os e, logo no instante seguinte, olha para eles, abrindo muito os olhos, como se estivesse surpreendida por vê-los caidinhos aos seus pés.

— *Une femme fatale.*

— Sim, é como devem chamar no estrangeiro.

— A senhora a conhece bem?

– Claro, é uma de minhas melhores amigas... E não confiaria um instante sequer nela!

– Ah! – exclamou Poirot e, deixando de lado o tema, passou a falar do comandante MacLaren.

– Jock? O velho fiel? É um bichinho de estimação. Nasceu para ser o amigo da família. Ele e Arnold eram amigos de verdade. Creio que era a pessoa em quem Arnold tinha mais confiança. Ademais, claro, é o cãozinho fiel de Margharita. Faz muitos anos que está apaixonado por ela.

– E também dele o sr. Clayton tinha ciúmes?

– Ciúmes de Jock? Que ideia! Margharita tem verdadeiro carinho por Jock, mas nunca lhe dedicou qualquer pensamento de outra natureza. Não creio que ninguém jamais tenha pensado nele em termos amorosos... não sei por quê. É uma lástima, porque é um sujeito muito legal.

Poirot passou a falar do criado. Mas, à parte dizer vagamente que ele sabia misturar bem os coquetéis, Linda Spence não parecia ter nenhuma ideia sobre Burgess. De fato, mal tinha prestado atenção nele.

No entanto, logo compreendeu tudo.

– O senhor está pensando que ele, assim como Charles, teve oportunidade para matar Arnold, não é verdade? Isso me parece totalmente improvável.

– Suas palavras me desanimam, senhora. Mas, enfim, também me parece (e a senhora relutará em concordar comigo) que é totalmente improvável não apenas que o major Rich pudesse matar Clayton, mas que pudesse matá-lo da maneira que lhe atribuem.

– Aquele negócio do estilete? Sim, definitivamente isso não está bem. Teria sido mais natural usar um instrumento que não provocasse corte. Podia até tê-lo estrangulado.

Poirot suspirou.

– Voltamos mais uma vez a *Otelo*. Sim, *Otelo*... Acaba de me dar uma pequena ideia.

– Como? Eu...? – Ouviu-se o ruído de uma chave girar na fechadura e depois o som de uma porta a se abrir. – Ah, ali está Jeremy. O senhor quer falar com ele também?

Jeremy Spence era um homem de aspecto agradável, de uns trinta e tantos anos, bem-vestido e de uma ostentosa discrição. A sra. Spence murmurou que era preciso ir até a cozinha dar uma olhada num cozido e se afastou, deixando os dois homens a sós.

Jeremy Spence não mostrou nada da encantadora sinceridade de sua mulher. Via-se claramente que lhe desagradava até o fundo da alma se ver envolvido naquele assunto e que cuidava para responder às questões com reserva. Fazia tempo que conhecia os Clayton; já Rich, não fazia muito. Parecia ser um homem agradável. Na noite do crime, Rich lhe parecera o mesmo de sempre. Clayton e Rich pareciam estar sempre em bons termos. Tudo aquilo havia sido completamente incompreensível para ele.

Durante a conversação, Jeremy Spence dava a entender, sem disfarçar, que esperava que Poirot fosse embora de uma vez. Tratou-o com amabilidade, mas apenas para salvar as aparências.

– Tenho a impressão de que minhas perguntas não lhe agradam – disse Poirot.

– A polícia já nos fez perguntas suficientes. Me parece que já contribuímos o bastante. Dissemos tudo o que sabíamos e tudo o que vimos. Agora... gostaria de esquecer tudo isso.

– Entendo-o perfeitamente. É por demais desagradável ver-se misturado a uma coisa dessas. Ser perguntado não apenas sobre o que sabe ou viu, mas às vezes até sobre o que se pensa, não?

– Melhor não pensar.

– Mas alguém pode frear os pensamentos? Por exemplo, o senhor acredita que a sra. Clayton está implicada no crime, que planejou junto com Rich a morte do marido?

– Por Deus, não! – Spence parecia escandalizado e espantado. – Não tinha ideia de que estivessem pensando nessa possibilidade.

– Sua mulher não lhe sugeriu isso?

– Ah, Linda! O senhor sabe como são as mulheres... sempre se engalfinhando umas com as outras. Margharita não conta com muitas simpatias entre suas companheiras de sexo... É muito atraente. Mas quanto a esta teoria de que Rich e Margharita teriam planejado o assassinato... é pura fantasia!

– Não seria a primeira vez. A arma, por exemplo. É mais provável que uma arma assim pertença a uma mulher do que a um homem.

– O senhor está querendo dizer que a polícia conseguiu comprovar que a arma era dela? Isso é impossível! Quero dizer...

– Não sei de nada – disse Poirot honestamente, e saiu às pressas.

A julgar pela consternação do rosto de Spence, havia deixado aquele cavalheiro com algo a pensar.

– **P**erdoe que lhe diga, *monsieur* Poirot, mas não vejo como o senhor pode me ajudar.

Poirot não respondeu. Estava olhando com uma expressão pensativa para o homem que havia sido acusado do assassinar seu amigo Arnold Clayton.

Reparava em sua mandíbula firme, em sua testa estreita. Um homem magro e bronzeado, atlético e vigoroso. Tinha certa semelhança com um galgo. Um homem de rosto inescrutável, que recebia seu visitante com manifesta hostilidade.

– Entendo que a sra. Clayton tenha dito para o senhor vir me ver com a melhor das intenções. Mas, francamente, creio que isso foi uma imprudência. Tanto para ela quanto para mim.

– O que o senhor quer dizer?

Rich olhou com nervosismo por sobre o ombro. Mas o guarda permanecia à distância determinada pela lei. Rich baixou a voz.

– Eles precisam encontrar um motivo que justifique esta acusação estapafúrdia. Tentarão demonstrar que havia... um caso entre mim e a sra. Clayton. Isso, a sra. Clayton bem deve ter lhe dito, é completamente falso. Somos amigos e nada mais. Mas me parece muito mais aconselhável que não fizesse nada por mim.

Hercule Poirot ignorou esse ponto, fixando sua atenção em uma palavra.

– O senhor disse se tratar de uma acusação "estapafúrdia". Mas o senhor sabe que não é.

– Eu *não* matei Arnold Clayton.

– Chame-a então de uma acusação falsa. Diga que a acusação é falsa. Mas não é *estapafúrdia*. Pelo contrário, é bastante plausível.

– Só o que posso lhe dizer é que para mim ela é fantástica.

– Alegar isso pouco o ajudará. Temos que pensar em algo mais útil.

– Tenho meus representantes legais e eles contrataram um eminente advogado para que se encarregue de minha defesa. Não posso aceitar este seu "temos".

Inesperadamente, Poirot sorriu.

– Ah! – exclamou acentuando seus trejeitos estrangeiros. – Percebo que o senhor está me dispensando. Muito bem. Me vou. Queria vê-lo. Já o fiz. Já dei uma olhada no histórico de sua carreira. O senhor entrou na Academia Militar de Sandhurst com muito boas notas.

Ingressou no Estado Maior etc. etc. Tenho uma opinião formada a seu respeito. O senhor não é um estúpido.

– Posso perguntar o que tudo isso tem a ver com o assunto?

– Tudo! É impossível que um homem de sua capacidade tenha cometido um crime como este. Muito bem. O senhor é inocente. Fale-me agora de seu criado Burgess.

– Burgess?

– Sim. Se não foi o senhor quem matou Clayton, resta Burgess. Esta conclusão se torna inevitável. Mas por quê? Tem que *haver* um porquê. O senhor é a única pessoa que conhece Burgess o suficiente para fazer conjecturas. Por que, major Rich, por quê?

– Não faço a mínima ideia. Simplesmente, não consigo entender. Sim, sim, também refleti sobre a questão, do mesmo modo que o senhor! Burgess teria a oportunidade... a única pessoa, excetuando eu mesmo, que teria a oportunidade. O problema é que não me parece possível. Burgess não é o tipo de homem que se poderia imaginar exercendo um papel desses.

– O que pensam os seus representantes?

Os lábios de Rich se apertaram em sinal de desgosto.

– Meus representantes legais gastaram seu tempo me perguntando, de modo persuasivo, se não era verdade que durante toda a minha vida eu havia sofrido de perdas temporárias de memória e que nesses momentos não podia responder por meus atos.

– Não sabia que as coisas estavam tão más – disse Poirot. – Bom, pode ser que averiguemos que quem sofre de perda de memória é Burgess. É uma ideia. Vamos agora à arma. Eles já devem tê-la mostrado e perguntado se era sua, estou certo?

– Não era minha. Nunca a tinha visto na vida.

– Não é sua, isso eu sei. Mas tem certeza de que nunca a viu antes?

– Não. – Rich titubeou um segundo. – É uma espécie de artigo de decoração... Sério... Em muitas casas se podem ver objetos assim.

– Talvez na sala de visitas de uma mulher. Talvez na salinha da sra. Clayton?

– Não!

Rich pronunciou a última palavra com voz muito alta e o guarda ergueu os olhos.

– *Très bien*. Certamente não... e não é necessário que o senhor grite. Mas alguma vez, em algum lugar, o senhor viu um objeto muito parecido. Estou enganado?

– Não creio... Talvez em alguma loja de curiosidades...

– Ah, é muito provável. – Poirot se levantou. – Agora me retiro.

— E agora – disse Hercule Poirot – vamos ver Burgess. Sim, por fim, chegamos a Burgess.

Ele já havia descoberto alguma coisa de todas as pessoas envolvidas no caso, através delas mesmas e também pelos outros. Mas ninguém lhe havia dado nenhuma informação sobre Burgess, nenhuma indicação sobre o tipo de homem que ele era.

Ao ver Burgess, compreendeu por quê.

O criado o estava esperando no apartamento do major Rich, tendo sido informado de sua visita por uma chamada telefônica do comandante MacLaren.

– Sou o *monsieur* Hercule Poirot.

– Sim, senhor. Eu o estava esperando.

Burgess manteve a porta aberta, em uma atitude respeitosa, e Poirot entrou. O vestíbulo era pequeno e quadrado, e à esquerda havia uma porta aberta que conduzia ao salão. Burgess ajudou Poirot a se desfazer do chapéu e do casaco, e o seguiu salão adentro.

– Ah! – exclamou Poirot, olhando ao redor. – Foi aqui, então, que tudo ocorreu?

– Sim, senhor.

Burgess era um homem calado, pálido e de aspecto um pouco enfermiço. Movia os ombros e cotovelos de modo desengonçado e falava com uma voz monótona e um sotaque provinciano que Poirot desconhecia. Da costa leste, talvez. Parecia um homem nervoso, mas, fora isso, não tinha características muito definidas. Era difícil associá-lo com uma ação positiva de qualquer natureza. Poderia alguém postular um antiassassino?

Seus olhos eram de um azul pálido, com um aspecto fugidio que as pessoas pouco observadoras costumam associar com falta de honradez. Apesar disso, um mentiroso pode olhar para alguém, de maneira fixa, com atrevimento e confiança.

– Como está o apartamento? – perguntou Poirot.

– Sigo tomando conta dele, senhor... O major Rich cuidou para que eu recebesse o meu salário e me ordenou que mantivesse o apartamento em ordem até que ele... até...

Desviou os olhos, incomodado.

– Até... – assentiu Poirot. E acrescentou em tom prático: – Me parece quase certo que o major Rich irá a julgamento. Provavelmente o caso estará concluído antes de três meses.

Burgess moveu a cabeça, menos em negativa que em sinal de perplexidade.

– Realmente não parece possível – disse.

– Que o major Rich seja um assassino?

– Tudo. Essa arca...

Olhou para o outro extremo da sala.

– Ah, então essa é a famosa arca?

Era um enorme móvel de madeira, muito escuro e envernizado, tachonado de bronze e equipado com uma fechadura grande e antiga.

— Um belo móvel. — Poirot se aproximou dele.

Estava posicionado contra a parede, próximo à janela e ao lado de um móvel moderno para guardar os discos. Do outro lado da arca havia uma porta entreaberta, parcialmente dissimulada por um grande biombo de couro pintado.

— Esta porta conduz ao quarto do major Rich – disse Burgess.

Poirot afirmou com a cabeça. Seus olhos se dirigiram para o outro lado da sala.

Havia dois toca-discos estereofônicos, colocados sobre mesinhas baixas, dos quais pendiam cabos de tomada que lembravam serpentes. Havia várias poltronas e uma mesa grande. Nas paredes, uma coleção de gravuras japonesas. Era uma peça bonita e cômoda, mas não luxuosa.

Poirot voltou a olhar para Burgess.

— Encontrar o corpo deve ter sido um choque terrível para o senhor – disse amavelmente.

— Oh, certamente, senhor. Nunca me esquecerei.

O criado começou a falar muito depressa. As palavras saíam aos borbotões. Talvez pensasse que, se repetisse a história muitas vezes acabasse por tirá-la da cabeça.

— Estava arrumando a sala, senhor. Recolhendo as taças e todo o resto. Depois me agachei para recolher algumas azeitonas do chão... e então eu avistei... no tapete uma mancha escura, avermelhada. Não está mais aqui, o tapete, foi levado para a tinturaria. A polícia já não precisava mais dele. "Que é isso?", pensei. E disse para mim mesmo, de brincadeira: "A verdade é que isso parece sangue. Mas de onde vem?". E então eu vi que saía da arca... por aqui, por este lado, onde está a rachadura. E disse, sem suspeitar de nada ainda: "Mas o que é isso...?". E levantei a tampa assim – acompanhando a palavra com a ação – e encontrei o corpo de um homem, deitado de lado, todo encolhido, como se estivesse dormindo. E aquela horrível faca estrangeira, ou adaga, seja lá o que for, saindo de seu pescoço... Nunca poderei esquecer... Nunca! Não esquecerei daquela imagem enquanto eu viver! O choque... o inesperado de tudo, compreende? – Respirou profundamente e prosseguiu: – Deixei a tampa cair e saí correndo do apartamento pela rua afora. Fui em busca de um policial e tive sorte, pois encontrei um por ali, nos arredores.

Poirot o olhou pensativo. Se estava fingindo, era muito bom ator. Começou a temer que não estivesse fingindo, que as coisas tivessem ocorrido exatamente como Burgess havia dito.

– Não passou pela sua cabeça primeiro acordar o major Rich?

– Não, senhor. Diante do choque... eu só... só queria sair daqui de uma vez – ele engoliu saliva – e... e conseguir ajuda.

Poirot assentiu com a cabeça.

– O senhor se deu conta de que o morto era o sr. Clayton? – perguntou.

– Deveria ter me dado conta, mas a verdade é que não acho que o tenha reconhecido. Claro, quando voltei com o policial, disse em seguida: "Mas é o sr. Clayton". E ele me perguntou: "Quem é o sr. Clayton?". E eu respondi: "Um senhor que esteve aqui na noite passada".

– Ah – disse Poirot –, na noite passada... O senhor se lembra com exatidão a que horas chegou o sr. Clayton?

– O minuto exato não. Mas devia ser perto de quinze para as oito da noite.

– O senhor o conhecia bem?

– Ele e a sra. Clayton apareciam com frequência nesse ano e meio que trabalho aqui nesta casa.

– Ele parecia completamente normal ontem?

– Acho que sim. Um pouco sem fôlego... mas supus que isso se devesse ao fato de ele ter vindo correndo. Ia pegar um trem, ou ao menos foi o que disse.

– Trazia consigo uma maleta, já que ia à Escócia?

– Não, senhor. Devia ter um táxi esperando-o lá embaixo.

– Ficou decepcionado ao ver que o major Rich não estava em casa?

– Não notei nada. Ele disse que deixaria um bilhete. Entrou e seguiu até o escritório. Eu voltei para cozinha. Estava um pouco atrasado com os ovos com anchovas. A cozinha fica no final do corredor e não se escuta muito bem de lá. Não o ouvi sair nem tampouco entrar o meu senhor, mas também não achei isso estranho.

– E depois?

– O major Rich me chamou. Estava aqui, na porta. Disse que havia se esquecido dos cigarros turcos da senhora Spence e que eu deveria ir correndo buscá-los. Foi o que fiz. Trouxe os cigarros e os coloquei sobre aquela mesa ali. Como seria de se esperar, achei que o senhor Clayton já tinha ido para a estação.

– E mais ninguém entrou no apartamento enquanto o major Rich esteve fora e o senhor ocupado na cozinha?

– Não, senhor... ninguém.

– O senhor está certo disso?

– Como é que alguém iria entrar? Teria que tocar a campainha.

Poirot meneou a cabeça. Como alguém poderia ter entrado? Os Spence, MacLaren e a sra. Clayton podiam dar conta de todos os seus atos. MacLaren estava com uns conhecidos no clube, os Spence recebiam uns amigos em casa, tomando uns drinques antes de sair para a casa de Rich, e Margharita Clayton estava falando ao telefone com uma amiga naquela hora. Não que considerasse nenhum deles como possível assassino. Havia outras maneiras de matar Arnold Clayton, sem necessidade de segui-lo até um apartamento onde se sabia haver um criado, sem falar na iminência da chegada do próprio dono. Não, o que acabava de lhe ocorrer era que algum "misterioso desconhecido" podia ter entrado na casa. Alguém surgido do passado aparentemente irreprochável de Clayton, que o havia reconhecido na rua e o havia seguido até o apartamento. Uma vez ali, cravara-lhe o estilete, enfiara o cadáver na arca e fugira. Melodrama puro, sem nenhuma lógica, contrariando todas as probabilidades. Em sintonia com os folhetins de fundo histórico, inclusive devido ao detalhe da arca espanhola.

Dirigiu-se de novo até a arca, cruzando a sala. Levantou a tampa, que não ofereceu resistência nem produziu o menor ruído.

Com voz fraca, Burgess disse:

– Ela foi bem lavada, senhor, cuidei para que a esfregassem bem.

Poirot se inclinou sobre ela. Lançado uma exclamação contida, inclinou-se mais um pouco. Passou a explorá-la com os dedos.

– Estes buracos aqui... no fundo da arca, e num dos lados... parecem... parecem ter sido feitos muito recentemente.

– Buracos, senhor? – O criado se inclinou para ver. – Não saberia dizer. Nunca os tinha visto.

– Não estão muito evidentes. Mas se pode vê-los. Em sua opinião, por que estão ali?

– Não sei dizer, senhor. Pode ser obra de algum animal, um escaravelho, um bicho dessa natureza. Um desses insetos que comem madeira?

– Animal? – perguntou Poirot. – Não sei.

Afastou-se da arca e deu alguns passos para trás.

– Quando o senhor entrou aqui com os cigarros, havia algo diferente na sala? Alguma coisa, qualquer coisa? Cadeiras fora do lugar, uma mesa arrastada, algo nesse estilo...

– É estranho que o senhor diga isso... Sim, havia algo. Esse biombo que evita que a corrente de vento atinja o quarto estava deslocado um pouco para a esquerda.

– Assim? – Poirot se moveu rapidamente.

– Um pouco mais ainda... Assim.

Antes o biombo ocultava aproximadamente metade da arca. E sua nova posição, ocultava-a quase por completo.

– Por que o senhor pensou que tivesse sido deslocado?

– Não pensei, senhor.

(Outra srta. Lemon!)

Burgess acrescentou em tom duvidoso:

– Parece que desse modo fica mais livre a passagem para a porta do quarto... para o caso de as senhoras desejarem guardar seus casacos.

– Pode ser. Mas pode ser que haja outra razão. – Burgess olhava-o com uma expressão interrogativa. – Dessa maneira, o biombo oculta a arca e também o tapete debaixo da arca. Se o major Rich tivesse apunhalado o sr. Clayton, o sangue começaria quase que de imediato a escorrer por entre as frestas do fundo da arca. Alguém poderia ver a mancha... como o senhor a viu na manhã seguinte. Por isso... o biombo foi deslocado.

– Não havia pensado nisso, senhor.

– Qual é a intensidade da luz ali? Forte ou fraca?

– Vou acendê-las, senhor.

Rapidamente, o criado fechou as cortinas e acendeu um par de lâmpadas. Irradiavam uma luz suave, apenas suficiente para ler. Poirot olhou para a lâmpada do teto.

– Não estava acesa. É muito pouco usada.

Poirot olhou ao seu redor, imerso na suave luminosidade.

O criado disse:

– Não creio que se pudesse ver a mancha de sangue, senhor; não há luz suficiente.

– Acho que o senhor tem razão. Então, por que moveram o biombo?

Burgess se estremeceu.

– É horrível pensar que... que um cavalheiro tão agradável como o major Rich tenha feito uma coisa dessas.

– O senhor não tem a menor dúvida de que tenha sido ele? Qual seria o motivo, Burgess?

– Bem, ele esteve na guerra, claro. É provável que ele tenha sido ferido na cabeça. Dizem que os efeitos algumas vezes só aparecem depois de anos. De repente as pessoas começam a agir de modo estranho, não sabem o que fazem. E dizem que nessas atitudes estranhas costumam muitas vezes se voltar contra quem está mais próximo delas, contra quem mais estimam. O senhor acredita que possa ser esse o caso?

Poirot olhou para ele, suspirou e lhe deu as costas.

– Não – ele disse –, não foi assim.

Como se fosse um ilusionista, como se fizesse um passe de mágica, fez aparecer na mão de Burgess uma nota novinha em folha.

– Obrigado, senhor, mas não posso...

– O senhor me ajudou – disse Poirot. – Mostrou-me o quarto, o que aconteceu naquela noite... O impossível nunca é impossível! Lembre-se disso. Eu disse que só havia duas possibilidades. Estava equivocado. Há uma terceira. – Olhou de novo ao redor da peça e estremeceu ligeiramente. – Abra as cortinas. Deixe entrar a luz e o ar. Esta sala precisa disso. Precisa se purificar. Acho que levará muito tempo para que fique limpa do que agora a perturba: a pertinaz memória do ódio.

Burgess, boquiaberto, alcançou a Poirot o chapéu e o casaco. Parecia completamente desconcertado. Poirot, que se divertia ao fazer declarações incompreensíveis, desceu as escadas a passos vivos.

Ao chegar à sua casa, Poirot ligou para o inspetor Miller.

– O que aconteceu com a mala de Clayton? A mulher dele me disse que havia preparado uma.

– Estava no clube. Ele a deixou com o porteiro. Então deve ter se esquecido dela e saído sem pegá-la.

– O que havia dentro?

– O esperado. Um pijama, uma camisa limpa, produtos de higiene.

– Muito adequado.

– O que o senhor esperava que tivesse dentro?

Poirot ignorou a pergunta. Disse:

– Vamos agora ao estilete. Aconselho-o a entrar em contato com a mulher que limpa a casa da sra. Spence. Averigúe se ela alguma vez viu por lá um objeto parecido.

– A senhora Spence? – Miller assobiou. – É nesse sentido que seguem suas suspeitas? Mostramos o estilete aos Spence. Eles não o reconheceram.

– Pergunte-lhes outra vez.

– O senhor está dizendo...

– E em seguida me informe o que dizem...

– Não imagino o que espera conseguir disso!

– Leia *Otelo*, Miller. Pense nos personagens de *Otelo*. Acabamos nos esquecendo de um deles.

Desligou. Em seguida, ligou para lady Chatterton. O telefone estava ocupado.

Voltou a ligar um pouco mais tarde. Também não teve êxito. Chamou George, seu criado, e lhe disse que continuasse discando o número até conseguir a ligação. Sabia que lady Chatterton era uma incorrigível tagarela.

Sentou-se em uma poltrona e descalçou com cuidado os sapatos de couro, esticou os dedos dos pés e se recostou.

– Estou velho – murmurou Poirot. – Me canso fácil... – Animou-se. – Mas as células... essas seguem funcionando. Devagar... mas funcionando. *Otelo*, sim.

Quem foi que me falou de *Otelo*? Ah, sim, a sra. Spence. A maleta... o biombo... o corpo lá dentro como um homem em posição de dormir. Um assassinato hábil. Premeditado, planejado... Acho até que *desfrutado*!

George anunciou que lady Chatterton estava ao telefone.

– Fala Hercule Poirot, senhora. Posso falar com sua convidada?

– Como? Claro. Oh, *monsieur* Poirot, o senhor operou alguma maravilha?

– Ainda não – respondeu Poirot. – Mas creio que as coisas estão em movimento.

Depois ouviu a voz de Margharita... tranquila, suave.

– Sra. Clayton, quando lhe perguntei se havia notado algo fora de lugar naquela noite na festa, a senhora franziu o cenho, como se recordasse de algo, mas logo a lembrança lhe fugiu. Seria a posição do biombo na sala?

– O biombo? Sim, claro, era isso. Não estava exatamente no lugar de sempre.

– A senhora dançou naquela noite?

– Parte do tempo.

– Com quem dançou mais?

– Com Jeremy Spence. Dança estupendamente. Charles dança bem, mas não é extraordinário. Ele e Linda dançavam juntos e, de quando em quando, trocávamos de par. Jock MacLaren não dançava. Ele cuidava dos discos e preparava as bebidas.

– Mais tarde escutaram música?

– Sim.

Houve uma pausa. Logo Margharita disse:

– *Monsieur* Poirot, qual é a razão... de tudo isso? O senhor tem.. há... esperança?

– Já reparou, madame, nos sentimentos das pessoas que a rodeiam?

Sua voz, ligeiramente surpresa, disse:

— Creio... creio que sim.
— Pois eu creio que não. Creio que a senhora não faz a mais vaga ideia. Creio que esta é a tragédia de sua vida. Mas é uma tragédia para os demais, não para senhora. Uma pessoa me mencionou hoje *Otelo*. Perguntei-lhe se o seu marido era ciumento e a senhora me disse que achava que ele era. Mas disse isso sem dar muita importância. Disse isso como diria Desdêmona, sem se dar conta do perigo. Ela também reconhecia o ciúme, mas não o compreendia, porque nunca havia sentido nem nunca poderia sentir ciúmes. Na minha opinião, ela não tinha consciência da força de uma paixão física extrema. Amava o seu marido com o fervor romântico com que se ama um herói, sentia afeição por seu amigo Cássio com carinho um tanto inocente, como a um companheiro próximo. Creio que era por esta sua imunidade à paixão que ela enlouquecia os homens. Compreende o que estou lhe dizendo, senhora?

Depois de uma pausa, a voz de Margharita, tranquila, doce e um pouco desconcertada, respondeu:

— Não... não compreendo bem o que o senhor está dizendo...

Poirot suspirou e disse em um tom prático:

— Esta noite vou lhe fazer uma visita.

O inspetor Miller não era um homem fácil de convencer. Mas tampouco Hercule Poirot era um homem fácil de se livrar até que tivesse conseguido aquilo que queria. O inspetor Miller grunhiu, mas capitulou.

— ... ainda que não saiba o que tem lady Chatterton a ver com tudo isso...

— Nada, na verdade. Ela apenas ofereceu abrigo a uma amiga, só isso.

— Como o senhor soube dos Spence?

— Que o estilete era deles? Foi uma suposição, nada mais. A ideia me veio de algo dito por Jeremy Spence.

Acenei com a possibilidade de que o estilete pertencesse a Margharita Clayton. Demonstrou-me, de modo positivo, saber que não era dela.

Depois de fazer uma pausa, Poirot perguntou com certa curiosidade:

– O que disseram?

– Reconheceram que se parecia muito com uma adaga de brinquedo que haviam tido, mas que fora extraviada algumas semanas atrás, e que eles haviam realmente se esquecido do objeto. Suponho que Rich o tenha pegado dali.

– Um homem que não gosta de correr riscos, esse Jeremy Spence – disse Hercule Poirot. E murmurou para si mesmo: – Algumas semanas atrás. Oh, sim, claro, o plano foi concebido há muito tempo.

– Ei, o que disse?

– Já chegamos – disse Poirot. O táxi estacionou na frente da casa de lady Chatterton, na Rua Cheriton. Poirot pagou a corrida.

Margharita Clayton os esperava na sala do segundo andar. Seu rosto se endureceu ao ver Miller.

– Eu não sabia...

– A senhora não sabia quem era o amigo que eu me propunha a trazer?

– O inspetor Miller não é meu amigo.

– Isso de fato depende de a senhora querer ou não que se faça justiça. Seu marido foi assassinado...

– E agora temos que falar sobre quem o matou – disse Poirot rapidamente. – Posso me sentar, *madame*?

Devagar, Margharita se sentou em uma poltrona de respaldo alto, de frente para os dois homens.

– Peço-lhes que me escutem com paciência – disse Poirot, dirigindo-se aos dois. – Creio que já sei o que ocorreu na noite fatal no apartamento do major Rich. Todos partimos de uma suposição falsa: que somente duas pessoas teriam tido a oportunidade de enfiar o corpo na arca, isto é, o major Rich e William Burgess. Mas estávamos enganados... havia uma terceira pessoa aquela noite no apartamento que teve igual oportunidade para matá-lo.

— E quem era essa pessoa? — perguntou Miller, cético. — O rapaz do elevador?

— Não. *Arnold Clayton.*

— O quê? Escondendo o seu próprio cadáver? O senhor está louco.

— Um cadáver não, naturalmente... um corpo vivo. Em palavras simples: ele se escondeu na arca. Coisa, aliás, diversas vezes feita ao longo da história. A noiva morta em *Mistletoe Bough*, Iachimo, planejando atentar contra a virtude de Imogen, e assim por diante. Pensei nisso tão logo vi que furos bastante recentes haviam sido feitos na arca. Por quê? Fizeram-nos para que pudesse entrar ar suficiente. Por que mudaram naquela noite o biombo de seu lugar de costume? Para ocultar a arca da vista das pessoas presentes na sala. Para que o homem que estava escondido ali dentro pudesse, de quando em quando, levantar a tampa e ouvir o que estava sendo dito.

— Mas por quê? — perguntou Margharita, com os olhos muito abertos pelo espanto. — Por que Arnold se esconderia na arca?

— É a senhora quem pergunta isso, madame? Seu marido era um homem ciumento. Era, além disso, um homem de poucas palavras. "Contido", como disse sua amiga, a sra. Spence. Seus ciúmes foram aumentando. Era uma tortura! A senhora era ou não era amante de Rich? Ele não sabia! Ele *precisava* saber. Por isso a história do telegrama da Escócia, o telegrama que ninguém enviou e que ninguém viu. A maleta para passar a noite é convenientemente esquecida no clube. Vai até o apartamento de Rich quando está bastante seguro de que ele não estará por lá. Diz ao criado que vai escrever um bilhete. Assim que fica sozinho, faz os furos na arca, desloca o biombo e se enfia dentro do móvel. Aquela noite ele descobrirá a verdade. Talvez sua mulher fique depois que os outros se forem, talvez parta com eles para retornar mais tarde. Naquela noite, o homem desesperado e atormentado pelo ciúme *saberá a verdade...*

– O senhor não está querendo insinuar que ele apunhalou a si mesmo, não é? – perguntou Miller, com voz que denotava incredulidade. – Tolice!

– Não, não, foi outra pessoa que o matou. Uma pessoa que sabia que ele estava ali. Foi sim um assassinato! Um assassinato planejado com muito cuidado e há muito tempo. Pensem nos demais personagens de *Otelo*. Era de Iago que devíamos ter nos lembrado. Envenenando de modo sutil a mente de Arnold Clayton com insinuações, suspeitas. O honrado Iago, o amigo fiel, o homem em quem sempre se acredita! Arnold Clayton acreditava nele. Arnold Clayton deixou que ele se servisse de seu ciúme, que o estimulasse, fazendo-o chegar ao paroxismo. Foi o próprio Arnold Clayton quem teve a ideia de se esconder na arca? Ele pode até ter acreditado que sim... é bem provável! E então a cena está montada. O estilete, roubado algumas semanas antes, está preparado. Chega a noite. A iluminação é discreta, o gramofone está ligado, os casais dançam e o homem sem par está ocupado em trocar os discos, que são guardados em um móvel junto à arca espanhola e ao biombo que a oculta. Deslizar para trás do biombo, levantar a tampa e cravar o estilete... Um golpe audacioso, mas muito simples!

– Clayton teria gritado!

– Não se estivesse narcotizado – disse Poirot. – Segundo disse o criado, o cadáver estava "deitado de lado, todo encolhido, como se estivesse dormindo." Clayton estava dormindo, dopado pelo único homem que *poderia* ter feito aquilo: o mesmo homem com quem tomou um drinque no clube.

— Jock? — A voz de Margharita se ergueu com uma surpresa infantil. — Jock? É impossível! Conheço Jock desde que me conheço por gente! Não pode ser! Como o assassino poderia ser Jock?

Poirot se voltou para ela.

— Por que dois italianos duelaram? Por que um jovem se suicidou? Jock MacLaren é um homem de poucas palavras. Pode ser que tenha se resignado a ser o amigo fiel da senhora, do seu marido, mas então surge o major Rich. É demais! Imerso na selva negra do ódio e do desejo, traça um plano que esteve muito próximo de ser tornar o crime perfeito... um duplo crime, porque era quase certo que o major Rich fosse ser culpado pelo assassinato. E já livre do major e de seu marido... ele acredita que, por fim, a senhora possa voltar sua atenção para ele. E talvez, madame, não demorasse muito tempo para isso acontecer... não é verdade?

Margharita tinha os olhos cravados nele, seus olhos muito abertos, cheios de horror. Quase sem se dar conta do que dizia, sussurrou:

— Talvez... não sei...

O inspetor Miller falou com autoridade:

— Tudo isso está muito bonito, Poirot. Trata-se de uma teoria e nada mais. Não há a mais pálida prova do que o senhor disse. É bem provável que não haja nada certo em tudo o que disse.

— Tudo está certo.

— Mas não há provas! Não há nada fundamentado.

— É aí que o senhor se equivoca. Creio que MacLaren, se as coisas lhe forem assim apresentadas, confessará. Contanto que fique claro para ele que Margharita Clayton sabe de tudo...

Poirot fez uma pausa e acrescentou:

— Porque uma vez que MacLaren souber *disso*, ele estará perdido... O assassinato perfeito terá sido em vão.

O JOGO DE CHÁ DO ARLEQUIM

O sr. Satterthwaite emitiu dois grunhidos de desaprovação. Certo ou não em sua suposição, estava cada vez mais convencido de que os carros de hoje estragavam com muito mais frequência que os de antigamente. Os únicos carros nos quais ele confiava eram aqueles velhos amigos, que haviam vencido a prova do tempo. Possuíam lá suas pequenas idiossincrasias, mas essas se podiam conhecer, era possível se prevenir contra elas, satisfazê-las antes que a demanda se tornasse demasiado severa. Mas esses carros novos! Cheios de bugigangas modernas, tipos diferentes de janelas, com seus painéis dispostos de modo novo e incomum, os acabamentos em madeira bela e brilhante, mas, por não lhe serem familiares, sua mão errante pairava indecisa sobre a luz alta, os limpadores de para-brisa, o afogador etc. Todas essas coisas com maçanetas em lugares onde você não esperava encontrar maçanetas. E quando a sua magnífica e nova aquisição falhou ao desempenhar suas funções, o mecânico da oficina mais próxima de sua casa proferiu as enervantes palavras: "O carro ainda precisa ser amaciado, dentes de leite. São esplêndidos, senhor, esses conversíveis *Super Superbos*. Todos os acessórios mais modernos. Mas sempre dão problemas no início, sabe como é. Rá-rá". Como se carros fossem bebês!

Mas o sr. Satterthwaite, sendo agora um senhor de idade, era da opinião de que um carro novo deve ser um produto maduro. Testado, examinado e amaciado antes de chegar às mãos do freguês.

O sr. Satterthwaite estava a caminho da casa de amigos no campo, para uma visita de fim de semana. Seu carro novo já havia, na estrada a partir de Londres, apresentado certos sintomas de desconforto, e se encontrava agora parado em numa oficina esperando pelo diagnóstico, e pelo tempo que ainda iria levar até que pudesse retomar o seu destino. Seu chofer era atendido pelo mecânico. O sr. Satterthwaite sentou-se, tentando manter a paciência. Havia garantido aos seus anfitriões por telefone, na noite anterior, que chegaria a tempo para o chá. Estaria em Doverton Kingsbourne, lhes havia garantido, antes das quatro da tarde.

Esbravejou novamente e tentou desviar seus pensamentos para alguma coisa agradável. Não era nada bom ficar ali sentado, em um estado de grave irritação, olhando frequentemente para o relógio, esbravejando mais uma vez e tendo que admitir que tal atitude lembrava uma galinha satisfeita pela proeza de botar um ovo.

Sim. Alguma coisa agradável. Sim, havia alguma coisa – uma coisa que ele tinha reparado no caminho. Pouco tempo atrás. Algo que ele tinha visto através da janela e que o havia agradado e excitado. Mas antes que ele tivesse tempo de pensar sobre isso, o mau comportamento do carro havia se tornado mais evidente, e uma rápida visita ao posto de gasolina mais próximo havia sido inevitável.

O que ele havia visto, afinal? No lado esquerdo... não, no lado direito. Sim, no lado direito, enquanto rodavam vagarosamente pela rua da cidadezinha. Ao lado do correio. Sim, ele tinha certeza. Ao lado do correio, porque a imagem do correio lhe dera a ideia de telefonar para os Addisons e dar a notícia de que era possível que chegasse um pouco atrasado. O correio. O correio de uma cidade pequena. E ao lado do correio... sim, definitivamente ao lado, a porta exatamente ao lado ou, no máximo, a porta seguinte. Algo que lhe suscitara memórias antigas, e que ele havia desejado... O que exatamente ele havia desejado? Por Deus, ele ia se lembrar logo em seguida. Estava ligado a uma cor. Várias cores. Sim, uma ou várias cores. Ou a uma palavra. Uma palavra específica que havia suscitado memórias, pensamentos, prazeres já perdidos, excitação, fazendo-o lembrar de algo que havia sido vivo e intenso. Algo que ele mesmo não havia apenas visto ou observado. Não, ele havia feito mais. Ele havia participado. Participado do quê, e por que, e onde? Em vários lugares. A resposta ao último pensamento veio rápida. Em vários lugares.

Em uma ilha? Na Córsega? Em Monte Carlo assistindo ao crupiê girar a roleta? Uma casa de campo? Vários lugares. E ele havia estado lá, com outra pessoa. Sim, outra pessoa. Tudo estava ligado àquilo. Ele estava quase chegando lá. Se apenas pudesse... Nesse momento, foi interrompido pelo chofer que se aproximava da janela, acompanhado pelo mecânico da oficina.

– Não vai demorar muito, senhor – o chofer afirmou, em tom alegre, ao sr. Satterthwaite. – Coisa de dez minutos. Não mais que isso.

– Não é nada grave – disse o mecânico, com uma voz baixa e rouca, típica dos homens do campo. – Problemas de carro com dentes de leite, o senhor sabe.

O sr. Satterthwaite não disse nada desta vez. *Rangeu* os dentes. Uma frase que ele havia lido muitas vezes em livros, e que, depois de velho, parecia ter se tornado um hábito seu, devido, talvez, à leve frouxidão da sua dentadura postiça. Francamente, dentes de leite! Dor de dente. Dentes rangendo. Dentes postiços. Toda uma vida, ele pensou, centrada em dentes.

– Estamos a apenas alguns quilômetros de Doverton Kingsbourne – disse o chofer –, e eles têm um táxi aqui.

O senhor pode seguir de táxi e eu levo o carro mais tarde, quando estiver pronto.

– Não! – disse o sr. Satterthwaite.

Ele pronunciou a palavra de maneira explosiva, e tanto o chofer quanto o mecânico pareceram chocados. Os olhos do sr. Satterthwaite brilhavam. Sua voz era clara e definitiva. Ele tinha se lembrado.

– Pretendo – ele disse – caminhar pela rua que acabamos de passar. Quando o carro estiver pronto, o senhor me pega ali. Acho que o nome do lugar é Café Arlequim.

– Este café não é grande coisa, senhor – avisou o mecânico.

– É onde estarei – disse o sr. Satterthwaite, falando de maneira bastante autoritária.

Saiu caminhando rapidamente. Os dois homens o olharam partir.

– Não sei o que deu nele – disse o chofer. – Nunca o vi nesse estado.

A pequena cidade de Kingsbourne Ducis não fazia jus à grandiosidade antiquada contida em seu nome. Era uma cidadezinha deveras pequena, constituída apenas por uma rua. Algumas poucas casas. Lojas que foram espalhadas de forma um tanto irregular, evidenciando muitas vezes o fato de que eram casas que tinham sido transformadas em lojas, ou que eram lojas que agora existiam apenas como casas, sem nenhuma finalidade comercial.

Não era bonita nem possuía um estilo particularmente antigo. Era não mais que simples e discreta. Talvez tenha sido por isso, pensou o sr. Satterthwaite, que um rápido vislumbre de cor tenha chamado sua atenção. Ah, ali estava ele, junto à estação de correios. A estação de correios era uma estação de funcionamento simples, com uma caixa do lado de fora, alguns jornais e cartões postais expostos e, é claro, logo ao lado, estava a placa. Café Arlequim. Uma dúvida assaltou o sr. Satterthwaite. Ele estava mesmo ficando velho. Cheio de caprichos. Por que aquelas palavras o inquietavam tanto? Café Arlequim.

O mecânico do posto de gasolina tinha mesmo razão. Aquele não parecia um lugar em que alguém teria vontade de fazer uma refeição. Um lanche, talvez. Um café pela manhã. Então por quê? Mas de repente ele entendeu por quê. Porque o café, ou melhor, a casa que abrigava o café, estava dividida em duas partes. De um lado havia pequenas mesas com cadeiras dispostas ao redor delas, prontas para os fregueses que fossem lá comer. Mas o outro lado era uma loja. Uma loja que vendia louça. Não era uma loja de antiguidades. Não havia nenhuma prateleirinha com vasos de vidro ou canecas. Era uma loja que vendia produtos modernos, e a vitrine que dava para a rua compreendia, naquele instante, todas as cores do arco-íris. Um jogo de chá com xícaras e pires muito largos, cada um de uma cor diferente. Azul, vermelho, amarelo, verde, cor-de-rosa, roxo. Realmente, pensou o sr. Satterthwaite, uma esplêndida exibição de cores. Não era de se admirar que tivesse chamado sua atenção quando o carro passara lentamente junto à calçada, em busca de alguma placa de oficina ou posto de gasolina. Foi etiquetada com um grande cartão que dizia "O Jogo de Chá do Arlequim".

Era sem dúvida a palavra "arlequim" que tinha permanecido fixa na mente do Sr. Satterthwaite, ainda que lá no fundo da mente, fazendo com que fosse difícil recordá-la. As cores da alegria. As cores do arlequim. E ele havia cogitado, se perguntado, tido a absurda mas excitante impressão de que, de alguma maneira, havia ali um convite para ele. Para ele em especial. Ali, talvez, fazendo uma refeição ou comprando xícaras e pires poderia estar seu velho amigo, o sr. Harley Quin. Havia quantos anos desde a última vez em que tinha visto o sr. Quin? Muitos anos. Seria o dia em que vira o Sr. Quin se afastar dele, andando por um pequeno caminho numa província, o Caminho dos Amantes, como eles diziam? Sempre havia esperado ver o sr. Quin outra vez, ao menos uma vez por ano. Possivelmente duas vezes ao ano. Mas não. Isso não tinha acontecido.

E logo hoje ele tivera a maravilhosa e surpreendente impressão de que aqui, na vila de Kingsbourne Ducis, ele poderia reencontrar o sr. Harley Quin.

– Que pensamento absurdo – disse o sr. Satterthwaite –, completamente absurdo. Realmente, as ideias que começamos a ter quando ficamos velhos!

Sentia falta do sr. Quin, falta daquilo que havia sido uma das coisas mais emocionantes nos últimos anos de sua vida. Alguém que podia surgir a qualquer momento do nada, em qualquer lugar, e que, quando aparecia, era como o presságio de que alguma coisa estava prestes a acontecer. Alguma coisa que iria acontecer a ele. Não, não era bem isso. Não para si mesmo, mas graças a si mesmo. Essa era a parte excitante. Só as palavras que o sr. Quin poderia dizer. Palavras. As coisas que ele poderia lhe mostrar, ideias que viriam à mente do sr. Satterthwaite. Ele começaria a ver, a imaginar, a descobrir coisas. Ele enfrentaria alguma situação que precisasse ser enfrentada. E o sr. Quin se sentaria à sua frente, esboçando, quem sabe, um sorriso de aprovação. Algo dito pelo sr. Quin daria início ao fluxo de ideias, mas a pessoa a agir seria ele mesmo. Ele... o sr. Satterthwaite. O homem que possuía tantos amigos de longa data. Um homem que contara entre seus amigos duquesas, um ou outro bispo, pessoas influentes. Especialmente – ele era obrigado a admitir – pessoas influentes na esfera social. Porque, afinal de contas, o sr. Satterthwaite sempre havia sido um esnobe. Tinha gostado de duquesas, de conhecer famílias tradicionais, famílias que haviam representado a pequena aristocracia fundiária da Inglaterra por muitas gerações. E ele tivera, também, um interesse por jovens que não eram necessariamente importantes na sociedade. Jovens que estavam com problemas, que estavam apaixonados, infelizes, que precisavam de ajuda. Graças ao sr. Quin, foi possível ao sr. Satterthwaite ajudá-los.

E agora, como um idiota, investigava um tenebroso café provinciano e uma loja de louças modernas e jogos de chá e caçarolas.

"Ainda assim", disse o sr. Satterthwaite a si mesmo, "devo entrar. Agora que já fui tolo o suficiente para caminhar de volta até aqui, devo entrar... Bem, só para garantir. Suponho que demorarão mais para aprontar o carro do que disseram que demorariam. Não serão apenas dez minutos. Só para ver se não há nada de interessante ali dentro."

Olhou mais uma vez para a vitrine cheia de louças. Percebeu inesperadamente que a louça era de boa qualidade. Bem-feita. Bons artigos modernos. Voltou-se mais uma vez para o passado, recordando. A duquesa de Leith, ele se recordou. Que senhora maravilhosa ela fora. Como havia sido bondosa com sua criada na ocasião de uma difícil viagem de navio à ilha de Córsega. Tinha cuidado dela com a benevolência de um anjo, e somente no dia seguinte retomou sua maneira autocrática, tirana, que os empregados daquele tempo pareciam capazes de suportar com facilidade e sem nenhum sinal de revolta.

Maria. Sim, assim se chamava a duquesa. Velha e cara Maria Leith. Ah, bem. Tinha morrido há alguns anos. Mas possuíra um jogo de louças de arlequim, ele recordou. Sim. Copos grandes e redondos de cores diferentes. Preto. Amarelo, vermelho e um tom particularmente funesto de castanho-avermelhado. Castanho-avermelhado, pensou, devia ser uma de suas cores favoritas. Tivera também um jogo de chá de Rockingham, ele se lembrou, cuja cor predominante era o castanho-avermelhado com detalhes em dourado.

"Ah", suspirou o sr. Satterthwaite, "bons tempos aqueles. Bem, acho que é melhor eu entrar. Talvez pedir uma xícara de café ou algo assim. Creio que virá cheia de leite e é possível que já adoçada. Mas, ainda assim, é preciso se distrair."

Ele entrou. O café estava quase vazio. Ainda era cedo, supôs o sr. Satterthwaite, para que as pessoas quisessem tomar chá. E, de qualquer maneira, muito pouca gente ainda tomava chá nos dias de hoje. Com exceção, é claro, de algumas pessoas mais velhas, que tomavam chá em suas próprias casas. Havia um jovem casal na janela mais ao fundo e duas mulheres fofocando em uma mesa contra a parede.

– Eu disse a ela – uma delas estava dizendo –, eu disse, você não pode fazer uma coisa dessas. Não, não vou tolerar esse tipo de coisa, e eu disse o mesmo para o Henry, e ele concordou comigo.

O sr. Satterthwaite compreendeu que Henry devia ter uma vida bastante difícil e que sem dúvida ele descobrira que o mais prudente era sempre concordar, seja qual fosse a sentença proposta a ele. Uma mulher extremamente desinteressante com uma amiga extremamente desinteressante. Voltou sua atenção ao outro lado do ambiente, murmurando:

– Posso apenas dar uma olhada?

A responsável pelo local era uma mulher bastante simpática, e disse:

– Oh, sim, senhor. Nós estamos com um bom estoque no momento.

O sr. Satterthwaite fitou as xícaras coloridas, apanhou uma ou duas delas, examinou o jarro de leite, pegou uma zebra de porcelana e a contemplou, examinou alguns cinzeiros com motivos bastante agradáveis. Ouviu o som de cadeiras sendo arrastadas e, voltando a cabeça para trás, pôde ver que as duas mulheres de meia-idade, ainda discutindo suas angústias passadas, haviam pagado a conta e saíam da loja. No mesmo instante em que deixavam o local, um homem alto, vestido com um terno escuro, entrou. Sentou-se à mesa que elas tinham acabado de desocupar. Estava de costas para o sr. Satterthwaite, que achou suas costas muito atraentes. Era magro, forte, musculoso, mas a parca iluminação do local lhe conferia uma aparência misteriosa e sinistra. O sr. Satterthwaite voltou a olhar os cinzeiros. "Acho que vou comprar um cinzeiro, só para não desapontar a vendedora", pensou. Ao concluir esse pensamento, o sol apareceu de repente.

Ele não tinha se dado conta de que a loja estava escura por conta da ausência de luz solar. O sol devia ter ficado escondido atrás de uma nuvem durante algum tempo. O céu havia ficado nublado, recordou, por volta da hora em que eles haviam chegado ao posto de gasolina. Mas nesse momento houve como uma explosão repentina de luz solar. A luz atingiu as cores das louças e atravessou a janela de vidro colorido e estampado com desenhos um tanto eclesiásticos que, pensou o sr. Satterthwaite, devia ter sido aproveitada da construção vitoriana original. O sol entrou pela janela e iluminou o desbotado café. De maneira curiosa, iluminou também as costas do homem que havia acabado de se sentar ali. No lugar de uma silhueta escura e sombria, havia agora um festival de cores. Vermelho e azul e amarelo. E o sr. Satterthwaite percebeu de repente que estava olhando justamente para o que tinha esperado encontrar. Sua intuição não o havia enganado. Ele sabia quem era aquela pessoa que havia acabado de entrar e sentar-se ali. Ele tinha tanta certeza que sequer precisou esperar até que pudesse olhar o rosto. Ele deu as costas para a louça, entrou novamente no café, foi até a mesa redonda e se sentou em frente ao homem que havia acabado de chegar.

– Sr. Quin – disse o sr. Satterthwaite. – Por alguma razão eu sabia que seria o senhor.

O sr. Quin sorriu.

– O senhor sabe sempre tantas coisas – ele disse.

– Faz muito tempo que não o vejo – disse o sr. Satterthwaite.

– O tempo importa alguma coisa? – disse o sr. Quin.

– Talvez não. Pode ser que o senhor esteja certo. Pode ser que não.

– Posso lhe oferecer alguma coisa do balcão?

– Tem alguma coisa para comer? – disse o sr. Satterthwaite de forma duvidosa. – Suponho que se tenha entrado aqui com este objetivo.

– Alguém nunca está completamente certo de seu objetivo, não é? – disse sr. Quin.

– Estou muito feliz em vê-lo outra vez – disse o sr. Satterthwaite. – Tinha quase esquecido, sabe. Quero dizer, esquecido a maneira como o senhor fala, as coisas que o senhor diz. As coisas nas quais o senhor me faz pensar, as coisas que me induz a fazer.

– Eu... o induzo a fazer? O senhor está muito enganado. O senhor sempre soube muito bem o que queria fazer e por que queria fazê-lo e por que sabia com exatidão que alguma coisa tinha que ser feita.

– Só me sinto assim quando estou com o senhor.

– Oh, não – disse o sr. Quin superficialmente. – Eu não tenho nada a ver com isso. Eu estou apenas... como já lhe disse muitas vezes... estou apenas de passagem. Isso é tudo.

– Hoje o senhor está de passagem por Kingsbourne Ducis.

– E o senhor não está apenas de passagem. O senhor está indo a um lugar determinado. Estou certo?

– Vou visitar um velho amigo. Um amigo que eu não vejo há uns bons anos. Está bem velho agora. Debilitado. Teve um derrame. Ele se recuperou bem, mas nunca se sabe.

– Ele vive só?

– Não mais. E me alegra muito dizer isso. A família dele voltou ao país, o que sobrou da família dele, melhor dizendo. Estão morando com ele já faz alguns meses. Estou contente de poder vê-los outra vez, todos reunidos. Isto é, os que eu já vi antes e os que eu ainda não vi.

– O senhor se refere aos filhos?

– Filhos e netos. – O sr. Satterthwaite suspirou. Por um breve momento, sentiu-se triste por não ter tido ele próprio filhos e netos e bisnetos. Na maior parte do tempo, ele não lamentava nem um pouco esse fato.

– Eles têm um café turco especial aqui – disse o sr. Quin. – Realmente bom. Tudo mais é, como o senhor suspeitava, praticamente intragável. Mas alguém pode sempre tomar uma xícara de café turco, não pode? Vamos tomar uma, pois suponho que o senhor logo terá que retomar a sua peregrinação, ou o que quer que seja.

Um cão preto apareceu na entrada do café. Foi até eles e se sentou ao lado da mesa, olhando para sr. Quin.

– O cão é seu? – disse o sr. Satterthwaite.

– Sim. Permita-me apresentá-lo a Hermes. – Ele afagou a cabeça do cachorro preto. – Café – ele disse. – Diga ao Ali.

O pequeno cão andou da mesa até uma porta na parte de trás da loja. Ouviram-no dar um latido curto, incisivo. Quase que imediatamente ele reapareceu acompanhado por um homem jovem de tez muito escura, vestindo um pulôver verde-esmeralda.

– Café, Ali – disse o sr. Quin. – Dois cafés.

– Café turco. É isso mesmo, não é, senhor? – Ele sorriu e desapareceu.

O cão voltou a se sentar.

– Diga-me – disse o sr. Satterthwaite –, diga-me onde o senhor esteve e o que tem feito e por que não o vejo há tanto tempo.

– Acabei de lhe dizer que o tempo não significa absolutamente nada. Está claro em minha mente, e eu acho que está claro também na sua, a ocasião em que nos encontramos pela última vez.

– Uma ocasião muito trágica – disse o sr. Satterthwaite. – Não me agrada muito pensar nela.

– Em razão da morte? Mas a morte nem sempre é uma tragédia. Eu já havia lhe dito isso também.

– Não – disse o sr. Satterthwaite –, talvez aquela morte... aquela na qual nós dois estamos pensando... não tenha sido uma tragédia. Mas de qualquer forma...

– Mas de qualquer forma é a vida que importa mesmo. O senhor tem toda a razão – disse o sr. Quin. – Totalmente certo. É a vida o que importa. Nós não queremos que alguém jovem, alguém que é feliz, ou que poderia ser feliz, morra. Nenhum de nós quer isso. É por esta razão que devemos sempre salvar uma vida quando a ordem vem.

– O senhor recebeu uma ordem para mim?

– Eu... uma ordem para o senhor? – o rosto longo e triste de Harley Quin iluminou-se com seu sorriso particularmente charmoso. – Eu não tenho nenhuma ordem para *o senhor*, sr. Satterthwaite. Nunca dei ordens. O senhor mesmo sabe das coisas, vê as coisas, sabe o que fazer e o faz. Isso não tem nada a ver comigo.

– Oh, tem sim – disse o sr. Satterthwaite. – O senhor não irá fazer com que eu mude de ideia neste ponto. Mas me diga, onde tem estado durante este período curto demais para ser chamado de tempo?

– Bem, estive em muitos lugares. Países diferentes, climas diferentes, aventuras diferentes. Mas na maior parte do tempo, como sempre, apenas de passagem. Eu acho que é o senhor quem tem que me dizer não apenas o que tem feito, mas também o que fará agora. Revelar mais sobre o lugar para onde está indo. Quem irá encontrar. Sobre os seus amigos, como são eles.

– É claro que lhe contarei. Vou gostar de fazer isso, pois tenho pensado cá com meus botões, sabe, refletido muito sobre esses amigos que estou indo ver. Quando ficamos sem ver uma família por muito tempo, quando não estivemos ligados a eles por muitos anos de um modo íntimo, é sempre um momento excitante quando decidimos retomar as velhas amizades e os velhos e laços.

– O senhor tem toda a razão – disse o sr. Quin.

O café turco foi trazido em pequenas xícaras com desenhos orientais. Ali depôs as bebidas sobre a mesa e, com um sorriso, se retirou. O sr. Satterthwaite tomou um gole com aprovação.

– Doce como o amor, negro como a noite e quente como o inferno. É assim o antigo ditado árabe, não é?

Harley sorriu por sobre o ombro e concordou com um aceno de cabeça.

– Sim – disse o sr. Satterthwaite –, devo lhe dizer aonde estou indo, embora pouco importe o que vou fazer. Estou indo renovar antigas amizades, conhecer a nova geração. Tom Addison, como já disse, é um velho amigo meu. Fizemos muitas coisas juntos nos nossos dias de juventude. Então, como costuma acontecer, a vida nos separou. Ele estava no serviço diplomático, foi enviado ao exterior em diversas acasiões consecutivas para ocupar postos no estrangeiro. Às vezes eu ia visitá-lo, às vezes eu o via quando ele retornava à Inglaterra. Um dos primeiros postos que ocupou foi na Espanha. Casou-se com uma moça espanhola, uma morena muito bonita chamada Pilar. Ele a amava muito.

– Tiveram filhos?

– Duas filhas. Uma de cabelos loiros como o pai, chamada Lily; e a outra, Maria, que herdou os traços espanhóis da mãe. Eu era padrinho de Lily. Naturalmente, não via nenhuma das crianças com muita frequência. Duas ou três vezes por ano, eu fazia uma festinha para Lily ou ia visitá-la na escola. Ela era uma menina doce e encantadora. Muito devotada ao pai e ele muito devotado a ela. Mas no espaço entre esses encontros, essas retomadas de laços, atravessamos períodos difíceis. O senhor deve saber tão bem quanto eu do que estou falando. Eu e os meus contemporâneos tivemos dificuldades em atravessar os anos de guerra. Lily casou-se com um piloto da força aérea. Um piloto de combate. Até pouco tempo atrás, sequer me lembrava do nome dele. Simon Gilliatt. Líder de esquadrão Gilliatt.

– Foi morto na guerra?

– Não, não. Não. Ele voltou a salvo. Depois que a guerra terminou, ele pediu demissão da força aérea, e ele e Lily foram para o Quênia, como tantos outros fizeram. Estabeleceram-se por lá e viveram muito felizes. Tiveram um filho, um menininho chamado Roland. Anos mais tarde, quando ele veio estudar na Inglaterra, eu o vi uma ou duas vezes. Acho que na última vez que o vi ele deveria ter uns doze anos. Um bom menino. Era ruivo como o pai. Estou ansioso para vê-lo hoje. Agora ele tem 23... 24 anos. O tempo passa.

– Ele é casado?

– Não. Ainda não.

– Ah. Possibilidades de casamento?

– Imagino que sim, por algo que Tom Addison disse em sua última carta. Tem uma prima. A filha mais nova, Maria, casou-se com o médico da vizinhança. Não cheguei a conhecê-la muito bem. É muito triste. Ela morreu de parto. Sua filhinha foi batizada Inez, um nome de família escolhido pela sua avó espanhola. Como quis o destino, vi

Inez apenas uma vez desde que ela se tornou adulta. Um tipo bem espanhol, morena, muito parecida com a avó. Mas devo estar entediando-o com essa conversa.

– Não. Quero ouvir. É muito interessante para mim.

– Adoraria saber por quê – disse o sr. Satterthwaite.

Ele olhou para o sr. Quin com um leve ar de suspeita.

– O senhor quer saber tudo sobre essa família. Por quê?

– Para que eu possa, talvez, visualizar a situação em minha mente.

– Essa casa para onde estou indo se chama Doverton Kingsbourne. É uma casa antiga e muito bonita. Não é espetacular a ponto de atrair turistas ou de ficar aberta para visitantes nos feriados. É apenas uma pacata casa de campo, ideal para ser habitada por um inglês que serviu sua pátria e retornou para apreciar uma vida tranquila quando a hora de sua aposentadoria chegou. Tom sempre gostou muito da vida no campo. Gostava de pescar. Era um bom atirador, e passamos dias muito felizes juntos na infância na casa de sua família. Eu mesmo passei muitas de minhas férias em Doverton Kingsbourne naquela época. E por toda a minha vida essa imagem permaneceu em minha mente. Não há lugar como Doverton Kingsbourne. Nenhuma outra casa que se compare a ela. Toda vez que passava ali por perto de carro, desviava o meu caminho só para ir até lá, só para espiar, por entre uma brecha nas árvores, o longo caminho que corre na frente da casa, vislumbres do rio em que costumávamos pescar, e também da própria casa. E eu me lembrava de todas as coisas que Tom e eu fazíamos juntos. Ele foi um homem de ação. Um homem que fez muitas coisas. E eu... eu fui apenas um velho solteirão.

— O senhor foi mais do que isso – disse o sr. Quin. – O senhor foi um homem que soube fazer amigos, que teve muitos amigos e que foi muito generoso com eles.

— Bem, gostaria de pensar assim. Talvez o senhor esteja sendo demasiado generoso.

— De maneira nenhuma. Além do mais, o senhor é uma excelente companhia. As histórias que conta, as coisas que viu, os lugares que visitou. As coisas estranhas que aconteceram em sua vida. O senhor poderia escrever um livro apenas sobre elas – disse o sr. Quin.

— Se eu escrevesse, teria que fazer do senhor meu personagem principal.

— Não teria, não – disse o sr. Quin. – Sou aquele que está de passagem. Nada além disso. Mas continue. Conte-me mais.

— O que fiz até agora foi apenas lhe dar o histórico da família. Como já disse, houve longos períodos de tempo, muitos anos, durante os quais não vi nenhum deles. Mas nunca deixaram de ser meus velhos amigos. Eu me encontrava com Tom e Pilar até a época em que ela morreu... morreu muito jovem, infelizmente... Lily, minha afilhada; Inez, a reservada filha do médico, que vive na cidadezinha com o pai...

— Que idade tem a filha?

— Inez tem dezenove ou vinte anos, eu acho. Ficarei feliz em me tornar seu amigo.

— Então esta é, no conjunto, uma crônica feliz?

— Não em sua totalidade. Lily, minha afilhada, a que se mudou para o Quênia com o marido, morreu por lá, num acidente de automóvel. Morreu na hora, deixando um bebê que mal havia completado um ano, o pequeno Roland. Seu marido, Simon, ficou totalmente arrasado. Eles eram um casal muito, muito feliz. Entretanto, aconteceu a ele a melhor coisa que poderia ter acontecido numa situação como essa. Casou-se outra vez, com uma jovem que era viúva de um líder de esquadrão, uma amiga dele que também havia ficado sozinha com um bebê pequeno. O pequeno Timothy e o pequeno Roland tinham entre si apenas dois ou três meses de diferença de idade. Creio que o casamento de Simon seja bastante feliz, embora eu não os veja há muito tempo, naturalmente, já que continuaram morando no Quênia. Os meninos foram criados como irmãos. Frequentaram a mesma escola na Inglaterra e normalmente passavam suas férias no Quênia. É claro, faz muitos anos que não os vejo. O senhor sabe o que aconteceu no Quênia. Algumas pessoas conseguiram ficar por lá. Outras, amigos meus, foram para o oeste da Austrália e se estabeleceram por lá com suas famílias. Alguns voltaram para a Inglaterra.

"Simon Gilliatt, sua esposa e os dois filhos deixaram o Quênia. Não era mais a mesma coisa para eles, então voltaram para a Inglaterra e aceitaram o convite que sempre tinha sido oferecido e renovado a cada ano pelo velho Tom Addison. Então eles vieram, seu genro, a segunda esposa do genro e as duas crianças, agora meninos crescidos, ou melhor, jovens homens. Voltaram para viver em Doverton Kingsbourne como uma família, e estão felizes. A outra neta de Tom, Inez Horton, como já disse, mora na cidade com o pai, o médico, e passa boa parte de seu tempo, pelo que sei, em Doverton Kingsbourne na companhia de Tom Addison, que é muito devotado à neta. Todos parecem estar muito felizes. Ele me convidou muitas vezes para ir até lá visitá-los. Para me encontrar com todos outra vez. Então aceitei o convite. Apenas por um final de semana. Será triste por um lado rever o bom e velho Tom; um pouco aleijado, com uma expectativa de vida talvez não muito longa, mas ainda tão alegre e animado quanto posso me lembrar. E também ver a velha casa outra vez. Doverton Kingsbourne. Ligada a todas as minhas memórias de infância. Quando alguém não viveu uma vida muito significativa, quando nada de importante lhe aconteceu pessoalmente, e pode-se dizer isso de mim, as coisas que permanecem com você são os amigos, as casas, e as coisas que você fez quando criança e quando menino e quando jovem. Há somente uma coisa que me preocupa."

– Você não deveria se preocupar. O que é que o preocupa?

– Que eu possa ficar... desapontado. Uma casa como nós a lembramos, que está em nossas fantasias, quando se tem a chance de revê-la, pode não ser como a lembrança ou a fantasia que acalentamos. Uma nova ala pode ter sido construída, o jardim pode ter sido alterado, muitas coisas podem ter mudado. Faz realmente muito tempo que não vou lá.

– Acho que suas memórias irão com você – disse o sr. Quin. – Eu estou contente pelo senhor estar indo lá.

– Tenho uma ideia – disse o sr. Satterthwaite. – Venha comigo. Venha comigo nessa visita. Não precisa ter medo de não ser bem-vindo. O caro Tom Addison é o sujeito mais hospitaleiro do mundo. Qualquer amigo meu se tornaria de imediato um amigo seu. Venha comigo. O senhor tem que vir. Eu insisto.

Com um movimento brusco, o sr. Satterthwaite quase derrubou sua xícara de café. Conseguiu pegá-la apenas a tempo de que não despencasse da mesa.

Nesse momento a porta da loja se abriu, fazendo soar a antiquada campainha. Uma mulher de meia-idade entrou. Estava ligeiramente ofegante e parecia sentir calor. Ainda era atraente, tinha cabelos castanho-avermelhados, com pequenas mechas grisalhas aqui e ali. Tinha a pele cor de marfim que com frequência acompanha cabelos avermelhados e olhos azuis, e havia mantido bem sua silhueta. A recém-chegada deu uma rápida olhada ao redor do café e se voltou imediatamente para a loja de louças.

– Oh! – ela exclamou –, a senhora ainda tem algumas das xícaras do arlequim.

– Sim, sra. Gilliatt, nós recebemos o estoque novo ontem.

– Oh, fico muito contente. Eu estava mesmo muito preocupada. Vim correndo. Tomei emprestada uma das motocicletas dos meninos. Eles saíram não sei para onde, e não consegui encontrar nenhum deles. Mas eu realmente tinha que fazer alguma coisa. Houve um acidente desastroso esta manhã com algumas das xícaras e nós estamos esperando convidados para o chá e uma festa esta tarde. Então se a senhora puder me dar uma azul e uma verde e talvez seja melhor eu levar outra vermelha também, só por precaução. Este é o problema dessas xícaras coloridas, não é mesmo?

– Bem, as pessoas dizem que é um problema e que nem sempre se pode substituir a cor específica de que se precisa.

A cabeça do sr. Satterthwaite havia agora se voltado sobre o ombro e ele olhava com algum interesse para a cena. Sra. Gilliatt, a mulher da loja havia dito. Mas é claro. Agora ele havia se dado conta. Esta devia ser... ele se levantou da cadeira, um pouco hesitante, e deu um ou dois passos em direção à loja.

– Com licença – ele disse –, mas a senhora não é... a sra. Gilliatt de Doverton Kingsbourne?

– Oh, sim. Eu sou Beryl Gilliatt. O senhor... Quero dizer...?

Ela o fitou, franzindo um pouco a testa. Uma mulher atraente, pensou o sr. Satterthwaite. Talvez um rosto um pouco duro, mas adequado. Então esta era a segunda esposa de Simon Gilliatt. Não possuía a beleza de Lily, mas pareceu ser uma mulher atraente, agradável e eficiente. De repente, um sorriso brotou no rosto da sra. Gilliatt.

– Eu acredito... sim, naturalmente. Meu sogro, Tom, tem uma fotografia do senhor e o senhor deve ser o convidado que esperamos para esta tarde. O senhor deve ser o sr. Satterthwaite.

– Exato – disse o sr. Satterthwaite. – Sou eu mesmo. Mas devo me desculpar pelo enorme atraso na minha chegada. Infelizmente houve um problema com o meu carro. Ele está na oficina agora, sendo consertado.

– Oh, que falta de sorte a sua. Que pena. Mas ainda não é a hora do chá. Não se preocupe. Teríamos que atrasar o chá de qualquer maneira. Como o senhor deve ter ouvido, corri até aqui para substituir algumas xícaras que infelizmente foram derrubadas esta manhã. Sempre que se recebe alguém para o almoço ou chá ou jantar, algo assim acontece.

– Aqui está, sra. Gilliatt – disse a mulher da loja. – Vou embrulhá-las. A sra. quer que eu as coloque numa caixa?

– Não, basta embrulhá-las num pedaço de papel e colocá-las dentro da minha sacola de compras e já estará bem.

– Se a senhora vai retornar a Doverton Kingsbourne – disse o sr. Satterthwaite –, posso lhe oferecer uma carona no meu carro. Ele já deve estar voltando da oficina.

– É muito gentil da sua parte. Gostaria mesmo de aceitar. Mas tenho que levar a motocicleta de volta. Os meninos precisam dela. Eles vão sair hoje à noite.

– Deixar-me apresentá-la – disse o sr. Satterthwaite. Ele se virou para o sr. Quin, que havia se levantado e agora estava parado bem próximo a eles. – Este é um velho amigo meu, o sr. Harley Quin. Eu o encontrei aqui por acaso. Estou tentando persuadi-lo a ir comigo a Doverton Kingsbourne. A senhora acha que Tom concordaria em receber mais um convidado hoje à noite?

– Oh, tenho certeza que não haveria problema algum – disse Beryl Gilliatt. – Tenho certeza de que ele ficaria felicíssimo em conhecer um amigo seu. Talvez seja também um amigo dele.

— Não — disse o sr. Quin. — Não conheço o sr. Addison pessoalmente, embora já tenha ouvido meu amigo, o sr. Satterthwaite, falar nele muitas vezes.

— Bem, então não deixe de acompanhar o sr. Satterthwaite. Nós ficaremos muito contentes.

— Eu sinto muitíssimo — disse o sr. Quin. — Infelizmente tenho um outro compromisso. Na verdade — olhou para o relógio —, devo partir agora mesmo. Já estou atrasado. É o que acontece quando encontramos velhos amigos.

— Aqui está, sra. Gilliatt — disse a vendedora. — Acho que ficará bem na sua sacola.

Beryl Gilliatt pôs o pacote com cuidado na sacola que estava carregando e então disse ao sr. Satterthwaite:

— Bem, vejo o senhor em breve. O chá só começa depois das cinco e quinze, então não se preocupe. Foi um prazer conhecê-lo afinal, depois de ter ouvido tantas coisas a seu respeito, tanto através de Simon quanto de meu sogro.

Ela se despediu do sr. Quin e saiu da loja apressada.

— Ela está com um bocado de pressa, não é? — disse a mulher da loja. — Mas ela é sempre assim. Cada dia é uma correria, como dizem.

O barulho do motor da motocicleta pôde ser ouvido quando ela a acelerou do lado de fora.

— Uma figura, não é? — disse o sr. Satterthwaite.

— É o que parece — disse o sr. Quin.

— E eu não vou mesmo conseguir persuadi-lo?

— Estou apenas de passagem — disse o sr. Quin.

— E quando voltarei a vê-lo? Estou curioso para saber.

— Oh, não vai demorar muito — disse o sr. Quin. — Eu acho que me reconhecerá quando me vir.

— O senhor não tem nada mais... nada mais a me dizer? Nada mais a explicar?

– Explicar o quê?

– Explicar como eu o encontrei aqui.

– O senhor é um homem de considerável sabedoria – disse o sr. Quin. – Tem uma palavra que pode significar algo para o senhor. Acho que ela pode vir a ser útil.

– Que palavra?

– Daltonismo – disse o sr. Quin. Ele sorriu.

– Eu acho que não... – o sr. Satterthwaite franziu a testa por um momento. – Sim. Sim, eu sei, apenas não consigo me lembrar neste momento...

– Agora me despeço – disse o sr. Quin. – Aí está o seu carro.

Nesse momento o carro estava de fato parando na porta da estação de correios. O sr. Satterthwaite saiu em direção a ele. Estava ansioso em não perder mais tempo, para não deixar seus anfitriões esperando mais do que o necessário. Mas ainda assim estava triste em dizer adeus ao amigo.

– Não há nada que eu possa fazer pelo senhor? – perguntou, num tom quase melancólico.

– Nada que o senhor possa fazer por *mim*.

– Por alguma outra pessoa?

– Eu acho que sim. É bem provável.

– Espero que eu saiba o que o senhor quer dizer.

– Tenho uma enorme fé no senhor – disse o sr. Quin. – O senhor sempre sabe das coisas. É muito rápido em observar e entender o significado das coisas. O senhor não mudou, eu lhe garanto.

Sua mão pousou por um instante sobre ombro do sr. Satterthwaite. A seguir ele saiu da loja e seguiu andando rapidamente pela rua da pequena cidade, no sentido oposto a Doverton Kingsbourne. O sr. Satterthwaite entrou no carro.

– Espero que não tenhamos mais nenhum problema – ele disse.

Seu chofer o tranquilizou.

– Já estamos bem perto, senhor. Cinco ou seis quilômetros no máximo. E o carro está funcionando muito bem agora.

Ele conduziu o carro ao longo da rua e dobrou para fazer o retorno e retomar o caminho. Disse outra vez:

– Somente cinco ou seis quilômetros.

O sr. Satterthwaite repetiu em sua mente "daltonismo". Ainda não significava nada para ele, mas ainda assim sentiu que deveria. Aquela palavra não lhe era estranha.

– Doverton Kingsbourne – disse o sr. Satterthwaite a si mesmo. Ele falou de maneira muito suave, sob sua respiração. As duas palavras ainda significavam para ele o que sempre haviam significado. Um lugar de felizes reencontros, um lugar onde ele não podia chegar muito rápido. Um lugar onde iria se divertir, mesmo que muitas das pessoas com quem ele convivera não estivessem mais lá. Mas Tom estaria lá. Seu velho amigo Tom, e pensou outra vez na grama e no lago e no rio e nas coisas que tinham feito juntos quando eram meninos.

O chá foi servido no gramado. Uma pequena trilha conduzia para além das janelas de estilo francês, atravessando a sala de estar e seguindo até um local que ficava entre uma grande faia acobreada de um lado e um cedro do Líbano de outro, enquadrando a cena para aquele fim de tarde. Havia duas mesas brancas pintadas e cinzeladas e várias cadeiras de jardim. Cadeiras de encosto reto com almofadas coloridas, e espreguiçadeiras onde alguém podia se recostar e esticar as pernas e dormir, se assim desejasse. Algumas delas tinham uma espécie de cobertura para protegê-las do sol.

Era um final de tarde bonito, e o verde da grama era vivo e agradável. A luz dourada penetrava na faia acobreada e o cedro mostrava os contornos de sua beleza de encontro a um céu em suaves tons de rosa e dourado.

Tom Addison esperava seu convidado em uma longa cadeira de vime, com os pés para cima. O sr. Satterthwaite notou, com algum divertimento, algo que o lembrava de muitas outras ocasiões em que encontrara seu anfitrião – ele usava confortáveis pantufas, apropriadas aos seus pés gotosos e ligeiramente inchados, e os calçados eram um de cada cor. Um vermelho e um verde.

"Bom e velho Tom", pensou o sr. Satterthwaite, ele não mudou nada. Continua o mesmo. E pensou: "Como sou idiota. É claro que eu sei o que a palavra quer dizer. Por que eu não pensei nisso imediatamente?"

– Pensei que você nunca mais fosse aparecer, seu velho vigarista – disse Tom Addison.

Era ainda um homem elegante, um rosto largo com olhos cinzentos, intensos e brilhantes, ombros que ainda eram quadrados e lhe conferiam uma aparência de poder. Cada linha em seu rosto parecia ser de bom humor e de uma afetuosa saudação. "Ele não muda nunca", pensou o sr. Satterthwaite.

– Não posso me levantar para cumprimentá-lo – disse Tom Addison. – É preciso dois homens fortes e uma bengala para me colocar de pé. Agora, você conhece a nossa pequena turma, não conhece? Você conhece Simon, é claro.

– É claro que conheço. Faz alguns bons anos que não o vejo, mas você não mudou muito.

O líder de esquadrão Simon Gilliatt era um homem magro, atraente, com um tufo de cabelos ruivos.

– É uma pena o senhor nunca ter ido nos visitar quando estávamos no Quênia – ele disse. – O senhor teria gostado. Poderíamos ter lhe mostrado um monte de coisas. Ah, bem, ninguém pode saber o que o futuro lhe reserva. Eu pensava que seria enterrado naquele país.

– Nós temos um cemitério muito bonito aqui – disse Tom Addison. – Ninguém arruinou nossa igreja tentando restaurá-la, e não há muitas construções novas ao redor, então ainda temos muito lugar no cemitério. Ainda não tivemos um daqueles terríveis acréscimos de novas sepulturas.

– Que conversa sinistra – disse Beryl Gilliatt, sorrindo. – Estes são nossos meninos – ela disse –, mas o senhor já os conhece, não é, sr. Satterthwaite?

– Eu não acho que os reconheceria agora – disse o sr. Satterthwaite.

Realmente, a última vez que tinha visto os dois meninos foi no dia em que os havia buscado na escola preparatória. Embora não houvesse nenhuma relação entre eles – tinham pais e mães diferentes –, os meninos podiam ser, e com frequência eram, considerados irmãos. Tinham mais ou menos a mesma altura e ambos eram ruivos. Roland, presumivelmente, havia herdando a característica de seu pai e Timothy de sua mãe de cabelos castanho-avermelhados. Também parecia haver uma espécie de camaradagem entre os dois. Ainda assim, pensou o sr. Satterthwaite, eles eram muito diferentes. A diferença era mais clara agora que os meninos tinham, ele supôs, entre 22 e 25 anos de idade. Não encontrou nenhuma semelhança entre Roland e seu avô. Nem se parecia com o pai, a não ser pelo cabelo ruivo.

O Sr. Satterthwaite se perguntou algumas vezes se o menino se pareceria com Lily, sua falecida mãe. Mas também via pouca semelhança. Para dizer a verdade, a aparência de Timothy estava mais próxima da aparência que teria um filho de Lily. A pele clara, a testa elevada e uma estrutura óssea delicada. Ao seu lado, ele ouviu soar uma voz baixa e suave:

– Eu sou Inez. Não espero que o senhor se lembre de mim. A última vez que o vi foi há muito tempo.

Uma linda menina, pensou imediatamente o sr. Satterthwaite. Um tipo moreno. Voltou sua mente ao passado, aos dias em que tinha vindo para ser padrinho no casamento de Tom Addison e Pilar. Seu sangue espanhol era evidente, ele pensou, assim como o porte e beleza morena e aristocrática. Seu pai, o dr. Horton, estava parado logo atrás dela. Parecia muito mais velho do que da última vez que em que o sr. Satterthwaite o tinha visto. Um homem gentil e amável. Um bom médico, despretensioso mas confiável, e muito devotado à filha, pensou o sr. Satterthwaite. Ele tinha, claramente, muito orgulho dela.

O sr. Satterthwaite sentiu uma enorme felicidade tomar conta de seu corpo. Todas estas pessoas, ele pensou, embora algumas estranhas a ele, pareciam amigos que ele já conhecia. A bela menina morena, os dois meninos ruivos, Beryl Gilliatt, afobada com o tabuleiro do chá, arrumando as xícaras e os pires, acenando a uma empregada da casa para trazer bolos e pratos com sanduíches. Um chá esplêndido. Havia cadeiras que alcançavam a altura das mesas, de modo que se podia sentar confortavelmente e comer tudo o que se quisesse comer. Os meninos se instalaram, convidando o sr. Satterthwaite para se sentar entre eles.

Aquilo o deixou contente. Já tinha planejado em sua mente que era com os meninos que queria conversar primeiro, ver o quanto eles lembrariam o Tom Addison dos velhos tempos, e pensou: "Lily. Como eu queria que Lily pudesse estar aqui agora." Aqui estava ele, pensou o sr. Satterthwaite, aqui estava ele de volta à sua infância. Aqui onde ele tinha vindo e sido recebido pelo pai e pela mãe de Tom, também por uma ou duas tias, um tio-avô e primos. E agora, não havia tantos assim nessa família, mas *era* uma família. Tom com as suas pantufas, uma vermelha, uma verde, velho, mas ainda alegre e feliz. Feliz com aqueles que estavam à sua volta. E aqui estava Doverton exatamente, ou quase exatamente, como havia sido. Não tão bem cuidada, talvez, mas o gramado estava em boas condições. E lá em baixo ele podia ver o brilho do rio através das árvores, e também as árvores. Mais árvores do que nos tempos antigos. E a casa, que precisaria, talvez, de outra demão de tinta, mas não muito urgentemente. Afinal, Tom Addison era um homem rico. Abastado, dono de uma grande quantidade de terras. Um homem de gostos simples, que gastava um bocado para manter sua casa, mas que não era perdulário com outras coisas. Hoje em dia, raramente viajava para o exterior, mas recebia muitas visitas. Nada de grandes festas, apenas amigos. Amigos que vinham para ficar, amigos em geral ligados ao passado. Uma casa amistosa.

Girou um pouco a sua cadeira, afastando-a da mesa e voltando-a o lado, de modo que pudesse aproveitar melhor a vista para o rio. Lá em baixo estava o moinho, naturalmente, e mais ao longe, do outro lado, havia campos. E em um dos campos, divertiu-o ver uma espécie de espantalho, uma figura escura sobre cuja palha pássaros se aninhavam. Por um instante, achou que o espantalho se parecia com o sr. Harley Quin. Talvez, pensou o sr. Satterthwaite, seja mesmo o meu amigo Harley Quin. Era uma ideia absurda, mas se ainda assim alguém tivesse amontoado o espantalho e tentado fazê-lo parecido com o Sr. Quin, ele poderia ter adquirido uma fina elegância que seria alheia à maioria dos espantalhos que alguém pudesse ver.

— O senhor está olhando o nosso espantalho? – perguntou Timothy. – Demos um nome para ele, sabe. Nós o chamamos de sr. Harley Barley.

— É mesmo? – perguntou o sr. Satterthwaite. – Meu Deus, isso me parece muito interessante.

— Por que o senhor acha interessante? – perguntou Roly, com certa curiosidade.

– Bem, porque se parece um pouco com alguém que eu conheço, cujo nome também é Harley. O primeiro nome, quero dizer.

Os meninos começaram a cantar, "Harley Barley, fica de guarda, Harley Barley aguenta a parada. Guarda a palha e guarda o feno, mantém afastado quem invade o terreno."

– Sanduíche de pepino, sr. Satterthwaite? – perguntou Beryl Gilliatt. – Ou o senhor prefere um de patê caseiro?

O sr. Satterthwaite aceitou o de patê. Ela pôs ao seu lado uma taça castanho-avermelhada, a mesma cor que ele tinha admirado na loja. Como era vistoso, todo aquele jogo de chá sobre a mesa. Amarelo, vermelho, azul, verde, e todo o resto. Quis saber se cada um deles tinha a sua cor favorita. Timothy, ele observou, estava com uma xícara vermelha, Roland com uma amarela. Ao lado do copo de Timothy havia um objeto que o sr. Satterthwaite não conseguiu identificar a princípio. Então viu que se tratava um cachimbo de espuma do mar. Havia anos que o sr. Satterthwaite não pensava sobre e muito menos via uma cachimbo de espuma do mar.

Roland, notando o que ele olhava, disse:

– Tim o trouxe da Alemanha quando esteve por lá. Ele vai acabar morrendo de câncer de tanto fumar seu cachimbo.

– Você não fuma, Roland?

– Não. Eu não sou de fumar. Não fumo cigarros nem haxixe.

Inez veio até a mesa e se sentou no lado oposto ao dele. Ambos os jovens lhe ofereceram comida. Começaram a conversar com animação.

O sr. Satterthwaite se sentiu muito feliz entre esses jovens. Não que lhe tivessem dado muito atenção, à parte a cortesia que lhes era natural. Mas gostou de ouvi-los. Gostou, também, de formar seu conceito sobre eles. Ele achava, tinha quase certeza, que ambos os jovens estavam apaixonados por Inez. Bem, não era de se admirar. A proximidade leva a esse tipo coisa. Eles tinham vindo viver aqui com seu avô. Uma menina bonita, prima-irmã de Roland, morava na vizinhança. O sr. Satterthwaite olhou para trás. Podia ver a casa através das árvores, projetando-se à beira da estrada pouco além do portão frontal. Aquela era a mesma casa em que o dr. Horton havia morado da última vez que viera para cá, sete ou oito anos atrás.

Ele olhou para Inez. Desejaria saber qual dos dois jovens ela preferia ou se seu coração já pertencia à outra pessoa. Não havia nenhuma razão para que ela não se apaixonasse por um desses dois jovens e atraentes espécimes do sexo masculino.

Depois de ter comido tanto quanto quis – o que não era muito –, o sr. Satterthwaite puxou sua cadeira para trás, alterando um pouco seu ângulo para que pudesse olhar para tudo ao seu redor.

A sra. Gilliatt ainda estava ocupada. Agia como a perfeita dona de casa, pensou, tratando as tarefas domésticas com mais alarde do que seria necessário. Continuamente oferecendo bolos às pessoas, enchendo suas xícaras, alcançando coisas a elas. Por um lado, pensou, seria mais agradável e mais informal se ela deixasse que as pessoas se servissem. Desejou que ela não fosse uma anfitriã tão ativa.

Olhou para o lugar onde Tom Addison estava, esticado em sua cadeira. Tom Addison também observava Beryl Gilliatt. O sr. Satterthwaite pensou consigo mesmo: "Ele não gosta dela. Não. Tom não gosta dela. Bem, talvez isso seja natural". Afinal, Beryl tinha tomado o lugar de sua própria filha, da primeira esposa de Simon Gilliatt, Lily. "Minha querida Lily", pensou o sr. Satterthwaite outra vez, e se perguntou por que sentia que, embora não pudesse vê-la, Lily, de alguma maneira, estava ali. Estava ali naquele chá.

"Acho que alguém começa a imaginar essas coisas à medida que vai ficando velho", disse o sr. Satterthwaite para si mesmo. "Afinal de contas, Lily não podia estar aqui para ver seu filho."

Olhou afetuosamente para Timothy, e então percebeu de repente que não estava olhando para o filho de Lily. Roland era filho de Lily. Timothy era filho de Beryl.

"Eu acredito que Lily sabia que eu estou aqui. Acredito que ela gostaria de falar comigo", disse o sr. Satterthwaite. "Oh Deus, oh Deus, eu não devo começar a pensar essas bobagens."

Algo o fez olhar outra vez para o espantalho. Não parecia mais um espantalho. Parecia o sr. Harley Quin. Alguns truques de luz, do pôr do sol, emprestavam-lhe cor, e havia um cão preto, como Hermes, perseguindo os pássaros.

"Cor", disse o sr. Satterthwaite, e olhou outra vez a mesa e o jogo de chá e as pessoas que tomavam chá. "Por que eu estou aqui?", perguntou o sr. Satterthwaite. "Por que eu estou aqui e o que devo fazer? Há uma razão..."

Agora ele sabia, ele sentia, que havia alguma coisa, alguma crise, algo que afetava... que afetava todas essas pessoas ou apenas algumas delas? Beryl Gilliatt, sra. Gilliatt. Ela estava nervosa com algo. Inquieta. Tom? Nada de errado com Tom. Aquilo não o afetava. Um homem de sorte por possuir essa maravilha, por possuir Doverton e por ter um neto para ficar com seu patrimônio quando ele morresse. Tudo isso seria de Roland. Tom esperava que Roland se casasse com Inez? Ou teria ele medo que primos-irmãos se casassem? Embora ao longo da História, pensou o sr. Satterthwaite, irmãos tivessem se casado com irmãs sem que isso representasse uma desgraça. "Nada deve acontecer", disse o sr. Satterthwaite, "nada deve acontecer. Eu devo impedi-lo."

Realmente, seus pensamentos eram os pensamentos de um louco. Uma cena pacata. Um jogo de chá. As variadas cores das xícaras do arlequim. Olhou para o cachimbo branco de espuma do mar, que contrastava com o vermelho da xícara. Beryl Gilliatt disse algo a Timothy. Timothy sacudiu a cabeça, levantou-se e saiu caminhando em direção à casa. Beryl retirou alguns pratos vazios da mesa, ajeitou uma ou duas cadeiras, murmurou algo para Roland, que avançou e ofereceu um pedaço de torta ao dr. Horton.

O sr. Satterthwaite a observava. Ele tinha que observá-la. O movimento de sua manga quando ela passou pela mesa. Ele viu uma taça vermelha ser empurrada para fora da mesa. Quebrou nos pés de ferro de uma cadeira. Ouviu sua pequena exclamação enquanto juntava os cacos. Ela foi até o tabuleiro de chá, voltou e colocou sobre a mesa uma xícara e um pires azul-claros. Recolocou o cachimbo no lugar, próximo à xícara. Trouxe o bule e serviu chá, e então se afastou.

A mesa estava agora desocupada. Inez também havia se levantado. Tinha ido falar com o avô.

"Eu não entendo", disse o sr. Satterthwaite para si mesmo. "Algo vai acontecer. O que vai acontecer?"

Uma mesa com as xícaras de cores diferentes espalhadas, e... sim, Timothy, seus cabelos ruivos brilhando ao sol. Cabelos ruivos brilhando com o mesmo matiz, aquela atraente onda lateral que o cabelo de Simon Gilliatt sempre tivera. Timothy, voltando, parando por um momento, olhando para a mesa com um olhar ligeiramente confuso, indo até onde estava o cachimbo de espuma do mar, próximo à xícara azul-clara.

Neste momento Inez voltou. Riu de repente e disse:
– Timothy, você está bebendo seu chá na xícara errada. A xícara azul é minha. A sua é a vermelha.

E Timothy disse:

– Não seja boba, Inez, Eu reconheço a minha própria xícara. Tem açúcar no meu chá, você não vai gostar. Que bobagem. Esta é a minha xícara. O cachimbo está apoiado nela.

Então o sr. Satterthwaite se deu conta de tudo. Foi um choque. Ele estava louco? Estaria imaginando coisas? Isso era real?

Levantou-se. Andou rapidamente em direção à mesa e, quando Timothy ergueu a xícara azul em direção aos lábios, ele gritou:

– Não beba isso! – ele gritou. – Não beba.

Timothy virou o rosto surpreso. O sr. Satterthwaite olhou para o lado. O dr. Horton, que estivera bem sentado, levantou-se de sua cadeira e se aproximou.

– Qual é o problema, Satterthwaite?

– Essa xícara. Há algo de errado com ela – disse o sr. Satterthwaite. – Não deixe que o menino beba.

Horton olhou fixamente para a xícara.

– Meu caro amigo...

– Eu sei o que estou dizendo. A xícara dele era a vermelha – disse o sr. Satterthwaite –, e a xícara vermelha está quebrada. Ela foi substituída pela azul. Ele não sabe diferenciar o vermelho do azul, não é?

O dr. Horton parecia confuso.

– Você quer dizer... como Tom?

– Tom Addison. Ele é daltônico. Você sabia disso, não sabia?

– Oh, sim, é claro. Todos nós sabemos disso. É por isso que ele está com sapatos de cores diferentes hoje. Nunca soube diferenciar o verde do vermelho.

– Este menino é como ele.

– Mas... mas é certo que não. Em todo o caso, nunca houve nenhum sinal disso em... em Roland.

– Mas poderia haver, não poderia? – disse o sr. Satterthwaite. – Meu raciocínio está correto: daltonismo. É assim que eles chamam, não é?

— É o nome que se usa para designar a doença, sim.

— Não pode ser herdado por mulheres, mas é transmitido através da mulher. Lily não era daltônica, mas o filho de Lily poderia muito bem ser daltônico.

— Mas meu caro Satterthwaite, Timothy não é filho de Lily. Roly é filho de Lily. Eu sei que eles são parecidos. A mesma idade, mesma cor de cabelo, coisas assim, mas... bem, talvez você não se lembre.

— Não – disse o sr. Satterthwaite –, eu não devia mesmo me lembrar. Mas eu sei agora. Eu também enxergo a semelhança. Roland é filho de Beryl. Os dois ainda eram bebês, não eram, quando Simon se casou pela segunda vez? É muito fácil para uma mulher que cuida de dois bebês, ainda mais quando ambos viriam a ser ruivos fazer a troca. Timothy é filho de Lily e Roland é filho de Beryl. De Beryl e de Christopher Eden. Não há nenhuma razão para ele ser daltônico Eu sei do que estou falando, estou lhe dizendo. Eu sei!

Ele viu os olhos do dr. Horton passarem de um para o outro. Timothy, não conseguindo ouvir o que eles diziam, continuava, no entanto, plantado com a xícara azul, um ar confuso.

— Eu a vi comprar a xícara – disse o sr. Satterthwaite. – Escute-me, homem. Você tem que me escutar. Você já me conhece há anos. Sabe que eu nunca estou errado quando afirmo algo categoricamente.

— É verdade. Eu nunca o vi cometer um erro.

— Tire essa xícara de perto dele – disse o sr. Satterthwaite. – Leve-a para a sua sala de cirurgia ou para um analista químico e descubra o que há dentro dela. Eu vi aquela mulher comprar aquela xícara. Comprou-a na loja da cidade. Ela já sabia que ia quebrar uma xícara vermelha, substituí-la por uma azul e que Timothy nunca iria perceber que as cores eram diferentes.

— Eu acho que você está louco, Satterthwaite. Mas assim mesmo vou fazer o que você disse.

Ele avançou até a mesa, esticou a mão em direção à xícara azul.

– Posso dar uma olhada na xícara? – disse o dr. Horton.

– Naturalmente – disse Timothy. Parecia um pouco surpreso.

– Eu acho que há uma falha na porcelana, sabe. Muito interessante.

Beryl atravessou o gramado. Veio rápida e pontualmente.

– O que vocês estão fazendo? Qual é o problema? O que está acontecendo?

– Não há problema nenhum – disse o dr. Horton, alegre. – Quero apenas mostrar aos meninos uma pequena experiência que vou fazer com uma xícara de chá.

Ele a observava com muito cuidado e viu sua expressão de medo, de pavor. O sr. Satterthwaite percebeu a mudança radical em seu semblante.

– Você gostaria de vir comigo, Satterthwaite? Apenas uma pequena experiência, sabe. Um teste para verificar a qualidade da porcelana nos dias de hoje. Uma descoberta muito interessante que fiz recentemente.

Ele percorreu o gramado falando. O sr. Satterthwaite, assim como os dois jovens, que conversavam entre si, seguiram-no.

– O que é que o doutor está aprontando, Roly? – perguntou Timothy.

– Não sei – disse Roland. – Parece ter tido alguma ideia extraordinária. Oh, bem, ficaremos sabendo mais tarde, eu suponho. Vamos lá pegar nossas motocicletas.

Beryl Gilliatt virou-se abruptamente. Voltou a caminhar com rapidez em direção à casa. Tom Addison a chamou:

– Algum problema, Beryl?

– Eu esqueci de uma coisa – disse Beryl Gilliatt. – Só isso.

Tom Addison olhou intrigado para Simon Gilliatt.

– Algum problema com a sua esposa? – ele perguntou.

– Beryl? Oh, não, não que eu saiba. Ela deve ter esquecido de alguma coisa. Não há nada que eu possa fazer por você, Beryl? – ele gritou.

– Não. Não, eu volto mais tarde. – Ela virou a cabeça um pouco para o lado, olhando para o velho homem deitado na cadeira. Falou abrupta e veementemente:

– Seu velhinho tolo. Você pôs os sapatos errados outra vez. Não são do mesmo par. Você sabe que está com um sapato vermelho e outro verde?

– Ah, eu fiz isso de novo, não é mesmo? – disse Tom Addison. – Eles parecem ter exatamente a mesma cor para mim, sabe? É estranho, não é, mas é assim mesmo.

Ela passou por ele, seus passos cada vez mais rápidos.

Pouco depois, o sr. Satterthwaite e o dr. Horton alcançaram o portão que levava à estrada. Ouviram o som de uma motocicleta acelerando.

– Ela se foi – disse o dr. Horton. – Está fugindo. Devíamos tê-la detido, me parece. Você acha que ela vai voltar?

– Não – disse o sr. Satterthwaite –, não acho que ela vá voltar. Talvez – ele disse, pensativo – seja melhor deixar assim.

– Como assim?

– É uma casa antiga – disse o sr. Satterthwaite. – E uma família antiga. Uma boa família. De pessoas muito boas. Ninguém aqui quer complicação, escândalo, esse tipo de coisa. Acho melhor deixá-la ir.

– Tom Addison nunca gostou dela – disse o dr. Horton. – Nunca. Ele sempre foi polido e gentil, mas não gostava dela.

– E há que se pensar no menino – disse o sr. Satterthwaite.

– O menino. Que menino?

– O outro menino. Roland. Assim, ele não precisa ficar sabendo o que sua mãe estava tentando fazer.

– Por que ela fez isso? Por que diabos ela fez isso?

– Você já não tem dúvidas de que ela o fez – disse o sr. Satterthwaite.

– Não. Não tenho nenhuma dúvida agora. Vi em seu rosto, Satterthwaite, quando ela me olhou. Soube então que o que você tinha dito era verdade. Mas por quê?

– Ganância, eu acho – disse o sr. Satterthwaite. – Acredito que ela não tinha dinheiro. Seu marido, Christopher Eden, era um bom rapaz, indiscutivelmente, mas não tinha muitos recursos. Mas o neto de Tom Addison receberá muito dinheiro. Muito dinheiro. A propriedade se valorizou muito. Não tenho dúvida alguma de que Tom Addison deixará a maior parte de seus bens para o neto. Ela queria que ficasse tudo para o filho dela, e seguindo a lógica, é claro, para ela mesma. É uma mulher gananciosa.

O sr. Satterthwaite virou a cabeça para trás de repente.

– Alguma coisa está pegando fogo ali – ele disse.

– Meu Deus, está mesmo. Oh, é o espantalho lá no campo. Algum jovem deve ter posto fogo nele. Mas não há nada com que se preocupar. Não há palha ou coisa parecida por perto. Vai se consumir sozinho.

– Sim – disse o sr. Satterthwaite. – Bem, siga em frente, doutor. Você não precisa de mim para ajudá-lo em seus testes.

– Não tenho nenhuma dúvida a respeito do que encontrarei. Não digo a substância exata, mas acredito que dentro desta xícara azul haja algo mortal.

O sr. Satterthwaite tinha voltado a cruzar o portão. Caminhava agora em direção ao lugar onde queimava o espantalho. Atrás dele estava o pôr do sol. Um pôr do sol notável naquele fim de tarde. Suas cores iluminavam o ar ao redor, iluminavam o espantalho em chamas.

– Então essa foi a maneira que você encontrou – disse o sr. Satterthwaite.

Ficou um pouco alarmado, pois, perto das chamas, avistou a alta e delgada silhueta de uma mulher. Uma mulher vestindo roupas de um suave tom madrepérola. Ela estava andando na direção do sr. Satterthwaite. Ele parou de maneira brusca, assistindo a tudo.

– Lily – ele disse. – Lily.

Viu-a com muita clareza nesse momento. Era Lily que andava em sua direção. Ela estava longe demais para que ele pudesse ver seu rosto, mas sabia muito bem que ela era. Apenas por um instante se perguntou se alguém mais a veria ou se a aparição era somente para ele. Disse, não muito alto, apenas num sussurro:

– Está tudo bem, Lily, seu filho está seguro.

Neste momento ela parou. Ergueu a mão em direção aos lábios. Não viu seu sorriso, mas sabia que ela estava sorrindo. Ela beijou a mão, acenou para ele, e então se virou. Caminhou de volta para onde o espantalho estava se desintegrando em uma massa de cinzas.

"Está indo embora outra vez", disse o sr. Satterthwaite para si mesmo. "Está indo junto com ele. Estão caminhando juntos. Pertencem ao mesmo mundo, naturalmente. Essas pessoas... essas pessoas vêm somente quando é um caso de amor, ou de morte, ou dos dois."

Não voltaria a ver Lily, supôs, mas se perguntou quando encontraria o sr. Quin outra vez. Virou-se então e voltou a cruzar o gramado em direção à mesa do chá e ao jogo de chá do arlequim. Mais além, estava o seu velho amigo Tom Addison. Beryl não voltaria. Tinha certeza disso. Doverton Kingsbourne estava a salvo outra vez.

Saltitando através do gramado vinha o cãozinho preto. Aproximou-se do sr. Satterthwaite, ofegando um pouco e abanando o rabo. Preso em sua coleira estava um pequeno pedaço de papel. O sr. Satterthwaite parou e o despregou – alisando-o. Nele, em letras coloridas, fora escrita uma mensagem:

Meus parabéns. Até o nosso próximo encontro.
H.Q.

– Obrigado, Hermes – disse o sr. Satterthwaite, e observou o cão preto rasgando o prado para voltar a se reunir às duas figuras que ele sabia que estavam ali, mas que já não podia ver.

Série Agatha Christie na Coleção **L&PM** POCKET

O homem do terno marrom
O segredo de Chimneys
O mistério dos sete relógios
O misterioso sr. Quin
O mistério Sittaford
O cão da morte
Por que não pediram a Evans?
O detetive Parker Pyne
É fácil matar
Hora Zero
E no final a morte
Um brinde de cianureto
Testemunha de acusação e outras histórias
A Casa Torta
Aventura em Bagdá
Um destino ignorado
A teia da aranha (com Charles Osborne)
Punição para a inocência
O Cavalo Amarelo
Noite sem fim
Passageiro para Frankfurt
A mina de ouro e outras histórias

MISTÉRIOS DE HERCULE POIROT

Os Quatro Grandes
O mistério do Trem Azul
A Casa do Penhasco
Treze à mesa
Assassinato no Expresso Oriente
Tragédia em três atos
Morte nas nuvens
Os crimes ABC
Morte na Mesopotâmia
Cartas na mesa
Assassinato no beco
Poirot perde uma cliente
Morte no Nilo
Encontro com a morte
O Natal de Poirot
Cipreste triste
Uma dose mortal
Morte na praia
A Mansão Hollow
Os trabalhos de Hércules
Seguindo a correnteza
A morte da sra. McGinty
Depois do funeral
Morte na rua Hickory
A extravagância do morto
Um gato entre os pombos
A aventura do pudim de Natal
A terceira moça
A noite das bruxas
Os elefantes não esquecem
Os primeiros casos de Poirot
Cai o pano: o último caso de Poirot
Poirot e o mistério da arca espanhola e outras histórias
Poirot sempre espera e outras histórias

MISTÉRIOS DE MISS MARPLE

Assassinato na casa do pastor
Os treze problemas
Um corpo na biblioteca
A mão misteriosa

Convite para um homicídio
Um passe de mágica
Um punhado de centeio
Testemunha ocular do crime
A maldição do espelho
Mistério no Caribe
O caso do Hotel Bertram
Nêmesis
Um crime adormecido
Os últimos casos de Miss Marple

MISTÉRIOS DE TOMMY & TUPPENCE

Sócios no crime
M ou N?
Um pressentimento funesto
Portal do destino

ROMANCES DE MARY WESTMACOTT

Entre dois amores
Retrato inacabado
Ausência na primavera
O conflito
Filha é filha
O fardo

TEATRO

Akhenaton
Testemunha da acusação e outras peças
E não sobrou nenhum e outras peças

MEMÓRIAS

Autobiografia

Agatha Christie

SOB O PSEUDÔNIMO DE MARY WESTMACOTT

- ENTRE DOIS AMORES
- RETRATO INACABADO
- AUSÊNCIA NA PRIMAVERA
- O CONFLITO
- FILHA É FILHA
- O FARDO

L&PM POCKET

Tommy & Tuppence

Agatha Christie

- SÓCIOS NO CRIME
- M OU N?
- UM PRESSENTIMENTO FUNESTO
- PORTAL DO DESTINO

© 2015 Agatha Christie Limited. All rights reserved.

L&PMPOCKET

Agatha Christie

- Testemunha de acusação e outras histórias
- Por que não pediram a Evans?
- É fácil matar
- Assassinato no Expresso Oriente
- A noite das bruxas
- Um corpo na biblioteca

L&PM POCKET

L&PM POCKET MANGÁ

Inio Asano
Solanin
1

Inio Asano
Solanin
2

Mitsuru Adachi
Aventuras de menino

Mohiro Kitoh
FIM DE VERÃO

L&PM POCKET
GRANDES CLÁSSICOS EM VERSÃO
MANGÁ

SHAKESPEARE
HAMLET

SIGMUND FREUD
A INTERPRETAÇÃO DOS SONHOS

F. SCOTT FITZGERALD
O GRANDE GATSBY

FIÓDOR DOSTOIÉVSKI
OS IRMÃOS KARAMÁZOV

MARCEL PROUST
EM BUSCA DO TEMPO PERDIDO

MARX & ENGELS
MANIFESTO DO PARTIDO COMUNISTA

FRANZ KAFKA
A METAMORFOSE

JEAN-JACQUES ROUSSEAU
O CONTRATO SOCIAL

SUN TZU
A ARTE DA GUERRA

F. NIETZSCHE
ASSIM FALOU ZARATUSTRA

IMPRESSÃO:

Pallotti
GRÁFICA EDITORA
IMAGEM DE QUALIDADE

Santa Maria - RS - Fone/Fax: (55) 3220.4500
www.pallotti.com.br